Les Éditions du Renouveau québécois
4270, boul. Saint-Laurent, bureau 204
Montréal, Québec
H2W 1Z4
Téléphone : 514-843-5236
C. élect. : info@lautjournal.info

Conception de la couverture : Olivier Lasser
Photos de la page couverture : Jacques Nadeau
Montage : Réjean Mc Kinnon
Révision : Jacques Serge

ISBN 978-2-9812259-8-6
Dépôt légal : Bibliothèque et Archives nationales du Québec, 2015
Dépôt légal : Bibliothèque et Archives Canada, 2015

# PKP dans tous ses états

Du même auteur
*Le Québec et la nouvelle donne internationale*
Aux Éditions du Renouveau québécois, 2011

*Pour une gauche à gauche*
Aux Éditions du Renouveau québécois, 2010

*Michael Ignatieff au service de l'empire,*
*une tradition familiale*
Aux Éditions Michel Brûlé, 2010

*Le Vrai Visage de Stephen Harper*
Aux Éditions Trois-Pistoles, 2006

*Manifeste du SPQ Libre*
Aux Éditions Trois-Pistoles, 2005

*L'Autre Histoire de l'Indépendance*
Aux Éditions Trois-Pistoles, 2006

*Larose n'est pas Larousse*
En collaboration avec Victor-Lévy Beaulieu,
Charles Castonguay et Jean-Claude Germain
Aux Éditions Trois-Pistoles, 2002

*Le SPQ Libre et l'indépendance du Québec*
En collaboration avec Marc Laviolette
Aux Éditions du Renouveau québécois, 2013

*Sans référendum, pas de souveraineté*
En collaboration avec Marc Laviolette
Aux Éditions du Renouveau québécois, *2008*

Pierre Dubuc

# PKP dans tous ses états

Les Éditions du Renouveau québécois

## Remerciements

Au correcteur d'épreuves, Jacques Serge,
à l'infographe, Réjean McKinnon,
et au secrétaire Louis Bourgea.

*À ma famille politique*

# Table des matières

# Présentation

Pierre Karl Péladeau, candidat à la direction du Parti Québécois, soulève les passions. Sa profession de foi indépendantiste, le poing en l'air, lors de la dernière campagne électorale, a rallumé la flamme chez de nombreux nationalistes, qui le voient comme « *l'homme providentiel* », apte à mener le Québec à l'indépendance nationale.

Pour de nombreux syndicalistes et progressistes, PKP porte la tache indélébile des multiples lock-out décrétés dans ses entreprises et son nom figure dans le groupe de tête du palmarès des pires patrons du Québec.

Pour ses supporteurs, PKP est un bâtisseur, doté d'un sens des affaires remarquable, doublé d'un esprit visionnaire, dont l'empire médiatique et culturel constitue une des plus belles réussites du Québec Inc.

Pour ses détracteurs, il était un patron aux interventions incessantes dans les salles de presse de ses médias, et son ombre, qui plane toujours sur le milieu de la culture et de l'information, intimide au point qu'il incite à l'autocensure.

Dans ce livre, nous avons voulu aller au-delà des clichés, des perceptions superficielles et des commérages. Nous sommes allés aux faits. Notre recherche nous a amené à revoir l'histoire de l'édification de l'empire Québecor, ses bons coups, ses échecs, ses défis actuels, et à évaluer sa santé économique et financière.

Plusieurs seront surpris d'apprendre que Québecor, présentée par les fédéralistes comme un empire tentaculaire dominant, au Québec, affronte un autre empire, encore plus puissant, formé de Bell et du Groupe CH des frères Molson et sa filiale evenko, qui a des atomes crochus avec Gesca de Power Corporation et Radio-Canada.

Cette étude nous a aussi entraîné dans les arcanes du pouvoir à Québec et à Ottawa. Que serait aujourd'hui Québecor sans l'intervention de la Caisse de dépôt et placement, qui a permis l'acquisition de Vidéotron, aujourd'hui la vache à lait de l'entreprise? Que dire des interventions de Brian Mulroney, ce vieil ami de la famille Péladeau et aujourd'hui président du conseil de Québecor, auprès du Premier ministre Stephen Harper?

Nous revenons également sur les démêlés de PKP avec le Premier ministre Charest et ses accointances avec le Parti Québécois dans l'affaire de l'amphithéâtre de Québec, de même que sur la promotion, par ses médias, au cours de cette période, du projet politique de François Legault, avant même la création de la Coalition Avenir Québec.

PKP cherche aujourd'hui, à se refaire une virginité progressiste et syndicale. Libre à chacun d'y croire. La véritable question est de savoir quelles sont les implications politiques et économiques de l'élection d'un chef d'entreprise à la direction du Parti Québécois. Et, éventuellement, au poste de Premier ministre du Québec. C'est la trame de fond de ce livre.

# Chapitre 1
## L'homme d'affaires

Pierre Karl Péladeau est à la tête d'un formidable empire médiatique qui est indéniablement un des plus beaux fleurons du Québec Inc. Québecor* est présente dans la télédistribution, la téléphonie, l'accès Internet, l'édition de journaux, de magazines et de livres, de même que dans la distribution et la vente d'un large éventail de produits culturels. L'empire a été édifié par son père, Pierre Péladeau. À la mort du patriarche, les sept enfants Péladeau ont hérité d'une part égale de la fortune paternelle, mais les droits de vote rattachés aux actions de Québecor ne pouvaient être exercés que par les deux fils aînés, Éric et Pierre Karl. Rapidement, Éric a cédé la direction de l'entreprise à son frère Pierre Karl en invoquant le fait qu'il ne pouvait pas y avoir « *deux capitaines à la barre du bateau* ».

PKP s'était joint à l'entreprise familiale du vivant de son père et a joué un rôle important dans de nombreuses transactions, particulièrement celles qui, à une époque, ont fait de Quebecor World la plus importante imprimerie commerciale au

---

* Au départ, Québecor s'écrivait avec un accent aigu. Puis, lorsque l'entreprise a eu des ambitions internationales, elle a laissé tomber l'accent. Après la faillite retentissante de Quebecor World et le recentrage de ses activités au Canada et, par la suite, au Québec, l'accent est réapparu.

monde... jusqu'à sa faillite en 2008. PKP a également été au cœur de la métamorphose de Quebecor, d'entreprise basée sur l'imprimerie, en empire dans le domaine des télécommunications. Une mutation qui ne se serait pas produite sans l'implication directe de la Caisse de dépôt et placement, le bas de laine des Québécois.

## L'empire paternel

L'histoire de l'origine de Quebecor est bien documentée.[1] Dans les années 1950, Pierre Péladeau emprunte 1 500 $ à sa mère pour acheter le *Journal de Rosemont*. Le père Péladeau a le sens du marketing. Dans le Québec du duplessisme et de la domination de l'Église catholique, il pressent la libération des mœurs des années 1960. Le concours de Miss Rosemont, qu'il lance dans les pages de son journal, lui permet de doubler le tirage en 5 ans. Au plan commercial, il comprend rapidement l'importance de l'intégration verticale et se dote d'une imprimerie, Imprimerie Hebdo Inc./Hebdo Printing Inc., incorporée en 1954.

Pour alimenter ses presses, il fait l'acquisition d'autres journaux de quartier et de journaux artistiques, qualifiés à l'époque de « *journaux jaunes* ». L'expression vient du « *yellow journalism* » pratiqué par les journaux de Hearst et Pulitzer à la fin du XIXe siècle aux États-Unis. Ce type de journalisme se caractérisait par le sensationnalisme et

---

1. Julien Brault, Péladeau, *Une histoire de vengeance, d'argent et de journaux*. Québec Amérique, 2008 et Bernard Bujold, *Pierre Péladeau, cet inconnu*. Trait d'union, 2003.

l'exploitation du fait divers. Des journaux comme *Nouvelles et Potins* et *Échos-Vedettes* étaient consacrés à des reportages sur les vedettes du monde du spectacle et, plus particulièrement, de la télévision naissante. Alors que la plupart des propriétaires de journaux voyaient dans l'arrivée de la télévision un concurrent, Pierre Péladeau y voit plutôt une complémentarité. C'était la convergence, avant même que l'expression existe.

Le 3 mai 1964, un lock-out est déclenché au journal *La Presse*. Il durera 7 mois. Pierre Péladeau n'allait pas rater pareille occasion. Un peu plus d'un mois après le déclenchement du conflit, soit le 15 juin, paraît le premier numéro du *Journal de Montréal*. La formule est inspirée de la presse populaire britannique, qui repose sur quatre éléments, les quatre S : *Sexe, Sang, Sport* et *Spectacles*. Son tirage s'établit rapidement à 100 000 exemplaires. C'est un succès incontestable, mais de courte durée. Le tirage s'effondre à 10 000 exemplaires avec la fin du conflit à *La Presse*. Mais Pierre Péladeau persiste. Il faudra 7 ans avant que le journal atteigne son seuil de rentabilité. Au cours de cette période, les profits des « *journaux jaunes* » compensent les pertes du *Journal de Montréal*. Pierre Péladeau profitera de deux autres conflits à *La Presse,* en 1971 et en 1977, de même que de l'arrêt de la publication de son principal concurrent, le *Montréal-Matin,* identifié à l'Union Nationale, pour asseoir la rentabilité de son quotidien.

Pierre Péladeau poursuivra l'intégration verticale des activités de son entreprise. Il crée les Messageries Dynamiques pour distribuer ses publications. En 1969, il fait l'acquisition de l'imprimerie Dumont, où sera imprimé *Le Devoir*. En 1987, il complètera cette intégration avec l'acquisition de la papetière Donohue. Cette dernière était elle-même intégrée. Elle possédait une usine de production de pulpe, une usine de sciage et des contrats de coupe de bois. Elle entretenait aussi des relations étroites avec ses principaux clients, tel le *New York Times*. La transaction se fait avec la complicité du gouvernement du Québec et en association avec le magnat de la presse britannique Robert Maxwell. Le gouvernement du Québec détenait, par l'intermédiaire de la Société générale de financement, 56 % des actions de Donohue. Le Premier ministre Bourassa souhaitait se départir de cette participation, mais voulait que Donohue demeure sous le contrôle d'intérêts québécois. Péladeau s'assure de détenir 51 % des actions de l'entreprise et nomme à la tête de Donohue son conseiller financier, Charles-Albert Poissant, un fédéraliste notoire, membre en règle du Parti Libéral du Québec et ami personnel de Robert Bourassa.

L'association avec Robert Maxwell assure à Quebecor une crédibilité sur le plan international. Le magazine *Forbes* qualifie Quebecor d'« *être une des entreprises médiatiques les mieux intégrées au monde* ». À partir de ce moment, les banques délièrent les cordons de leur bourse et Quebecor procéda avec frénésie à de nouvelles acquisitions dans le domaine de l'imprimerie. Déjà, en 1985, Québecor avait acquis la compagnie Pendell Printing, du Michigan. En 1988, elle devient propriétaire d'une filiale de Bell, Ronald's Printing, qui sera à la base de son expansion fulgurante.

## La faillite de Quebecor World

Au début des années 1990, après avoir échoué dans ses négociations avec les pressiers du *Journal de Montréal,* PKP est envoyé en Europe par son père pour y prendre en charge le secteur de l'imprimerie. Il est responsable de l'acquisition en France de Fécomme et de Jean Didier, premier imprimeur de France, qu'il sauve de la faillite. D'autres acquisitions, dont l'actif du Groupe Jacques Lopès et Inter-Rouage, font des Imprimeries Québecor le premier imprimeur commercial de France. Après la mort de Pierre Péladeau en 1997, une transaction majeure pour un montant de 2,7 milliards $ entre Imprimerie Québecor et World Color Press, – la plus importante transaction dans l'histoire de l'imprimerie – catapulte Québecor au rang de premier imprimeur commercial du monde avec 60 000 employés et 160 usines à travers le monde. Imprimerie Québecor change alors de nom et devient Quebecor World.

Au cours de la décennie 1990, les actions de Quebecor ont bondi de 7 à 55 dollars. Le rendement du bénéfice net dépasse 30 % de l'avoir des actionnaires. C'est l'euphorie. Quebecor fait l'achat de la chaîne de tabloïds Sun Media, après une première tentative infructueuse. En 1996, une première offre de Pierre Péladeau pour cette entreprise dont Rogers voulait se départir, se bute à l'opposition des journalistes et plus particulièrement de Diane Francis qui le traite de « *séparatisse* », de raciste et d'antisémite. Il refuse de surenchérir sur l'offre de 411 millions $

de Toronto Sun Publishing, qu'il considère comme exagérée. En 1998, Sun Media est de nouveau en vente. PKP remporte cette fois la mise en mettant 983 millions $ sur la table, soit le double de ce qui fut payé deux ans auparavant. Cette fois, les journalistes accueillent PKP comme un sauveur parce qu'il surclassait l'offre hostile de Torstar, l'entreprise de presse qui chapeautait le *Toronto Star,* principal concurrent du *Toronto Sun,* propriété de Sun Media. PKP s'exclame : « *It's a big day for Canada !* »

En 2007, Quebecor procède à l'achat d'Osprey Media qui possède 20 quotidiens et 34 hebdomadaires. Avec cette acquisition, Quebecor devient le plus grand éditeur de journaux au Canada.

Cependant, au début des années 2000, le vent commence à tourner. Avec PKP à la barre, l'entreprise a acheté un grand nombre d'imprimeries à la santé financière incertaine, à un prix inférieur à leur valeur réelle, croyant faire une bonne affaire. Mais le marché de l'imprimé s'affaisse et Quebecor World va accumuler les déficits. En janvier 2008, Quebecor World va se placer sous l'aile des lois sur la faillite et l'insolvabilité au Canada et aux États-Unis. En 2002, un groupe de dirigeants américains de l'entreprise, appuyé par la firme Kohlberg, Kravis Roberts Co., avait offert 5 milliards $ pour l'achat de Quebecor World. Piqué au vif par cette mutinerie, PKP refusa net. À cette époque, l'action de Quebecor World se négociait à 40 $. En 2008, elle valait moins d'un dollar. Quebecor va rompre progressivement les liens avec son ancienne filiale en radiant de ses livres la valeur de son investissement dans l'imprimeur et en lui retirant le droit d'utiliser la raison sociale « *Quebecor* ».

Ce déclin était-il prévisible ? Quelle est la part de responsabilités de PKP dans cette gigantesque faillite ? Plusieurs analystes ont souligné que, si l'imprimerie avait été un secteur d'avenir, Quebecor World n'en serait sans doute jamais devenue un chef de file. Bernard Bujold, le biographe de Pierre Péladeau, a déclaré : « *Si Pierre Péladeau était toujours vivant, il se serait débarrassé de Quebecor World au bon moment, en pilant sur sa fierté* ». Chose certaine, le magazine *Forbes*, la bible du monde des affaires, pose un jugement beaucoup moins élogieux sur sa direction que sur celle de son père. En février 1999, *Forbes* publie un article intitulé « *Angry Son* », dans lequel PKP est décrit comme un patron arrogant et dictatorial.

**Les échecs du père**

Le parcours de Pierre Péladeau ne s'était pas non plus déroulé sans revers. Son incursion aux États-Unis, avec le lancement en 1977 du *Philadelphia Journal,* a été un échec lamentable. En 1988, 10 millions $ se sont volatilisés dans l'aventure du *Montreal Daily News,* une tentative infructueuse de concurrencer *The Gazette* sur le marché anglophone de Montréal après la disparition du *Montreal Star.* Échec également de l'initiative de doter l'Abitibi d'un journal sur le modèle du *Journal de Montréal* et du *Journal de Québec.* Sans oublier non plus les 10 millions $ envolés en fumée en 1988 dans *Super-Hebdo,* un méga journal de quartier, tiré à 800 000 exemplaires, qui devait éliminer tous les journaux de quartier de Montréal.

Le partenariat dans Donohue avec Robert Maxwell n'a pas non plus été de tout repos. En sérieuses difficultés financières, Maxwell n'arrivait même plus à s'acquitter des dettes accumulées auprès du fournisseur de papier Dononhue, dont il était le copropriétaire. Le 30 octobre 1989, Quebecor annonce l'achat de Maxwell Graphics pour 510 millions $ en argent comptant, avec une contribution de 115 millions $ de la Caisse de dépôt et placement. Cette transaction donne naissance à Imprimerie Québecor (Quebecor Printing). À la mort de Maxwell en 1991, Québecor rachète sa participation dans Donohue.

Cette association entre Québecor et la Caisse de dépôt et placement n'était pas nouvelle. Après l'élection du Parti Québécois en 1976, Pierre Péladeau a été nommé par René Lévesque au conseil d'administration de la Caisse. L'amitié entre les deux hommes était bien connue. Après la défaite du Parti Québécois en 1970 et la défaite personnelle de René Lévesque dans sa circonscription, Pierre Péladeau l'avait embauché comme chroniqueur au *Journal de Montréal*. En plus de soutenir Québecor dans Donohue, la Caisse a aussi contribué à financer l'acquisition de Sun Media par Quebecor.

## La saga Vidéotron

Mais c'est surtout avec l'achat de Vidéotron par Quebecor, que la relation entre l'entreprise et la

Caisse est devenue extrêmement étroite. L'histoire de cette transaction est bien documentée. Mario Pelletier y consacre un chapitre dans son livre *La Caisse dans tous ses états* (Carte blanche, 2009)[2] et Michel Nadeau, qui était le numéro deux de la Caisse à l'époque, l'a racontée dans une entrevue parue dans la revue *Forces*[3]. Résumons les faits.

À la fin de 1999, André Chagnon, propriétaire de Vidéotron, panique devant son concurrent, Bell, qui menace d'écraser les câblodistributeurs avec la fibre optique et la télé par satellite. Il se résigne à accepter une offre de Rogers Communications. Il en informe la Caisse, qui détenait d'importants intérêts dans Vidéotron. Mais la Caisse s'était gardé un droit de premier refus sur toute transaction mettant en cause Vidéotron. À l'époque, la Caisse s'était fait reprocher son inaction dans la vente de Provigo à l'Ontarienne Loblaws et le déménagement du cœur de la Bourse de Montréal à Toronto. Michel Nadeau raconte : « *On voulait garder un centre décisionnel d'une importance incroyable au Québec. On regardait toutes les options, toutes les entreprises, et on revenait toujours vers Quebecor et Pierre Karl* »[4].

L'intérêt de la Caisse pour la câblodistribution ne datait pas de la veille. La Caisse détenait 30 % des actions de Câblevision Nationale depuis 1971. Elle avait été très active dans la québécisation de l'industrie naissante de la câblodistribution en rachetant,

---

2. Mario Pelletier, *La Caisse dans tous ses états,* Carte blanche, 2009.

3. « *Le plan de match de PKP ou comment Vidéotron a sauvé Quebecor* », *Forces,* Été 2014, no. 178

4. *L'Actualité,* 28 octobre 2010

avec d'autres investisseurs institutionnels québécois,
dont la Laurentienne, 60 % de Câblevision Nationale,
qui desservait alors environ 45 % des abonnés du
câble au Québec. En 1980, la Caisse est l'artisan de la
prise de contrôle par Vidéotron de Câblevision
Nationale, une entreprise dix fois plus importante.
Dans un premier temps, la Caisse a investi 8 millions $ dans Vidéotron, une petite entreprise alors
déficitaire, ce qui lui assurait 30 % des actions. Puis,
la Caisse a vendu Câblevision Nationale à Vidéotron
au prix ridiculement bas de 14 millions $. À l'époque,
Vidéotron ne disposait d'aucune ressource financière
– elle affichait même un déficit cumulé de 234 000 $
– et c'est le gouvernement du Québec et la Caisse qui
ont fourni le financement.

Tout au long de son existence, la Caisse a servi
de tuteur bienveillant à l'entreprise (mal) dirigée
par la famille Chagnon. Comme l'a démontré Léo-
Paul Lauzon[5], chaque fois que les dirigeants de
Vidéotron ont tenté de sortir de leur monopole
réglementé, ils ont essuyé des pertes de plusieurs
millions de dollars, que ce soit dans des investissements au Maroc et en France, ou dans des projets
comme Multi-Points, Promexpo, Vidéoway et surtout le projet de télévision interactive UBI, qui a
été un flop monumental. Mais, tel un ange gardien,
la Caisse veillait au grain.

Œuvrant dans un marché protégé, à l'abri de la
concurrence, Vidéotron a pu acquérir en 1986 le
réseau TVA grâce aux énormes profits générés
par la câblodistribution. Ce mariage entre la télé-

---

5. *Léo-Paul Lauzon, Contes et comptes du Prof Lauzon*, Lanctôt
Éditeur, 2001

vision et la câblodistribution était logique, mais nous sommes d'accord avec le prof Lauzon lorsqu'il soutient qu'une décision encore plus logique aurait été de fusionner Câblevision Nationale avec Radio-Québec (devenue par la suite Télé-Québec), sans exclure des alliances avec d'autres firmes, privées ou publiques. « *On aurait,* argumente-t-il, *rentabilisé Radio-Québec et on aurait ajouté des millions de dollars dans les coffres de l'État québécois.* » Mais on a préféré diminuer les budgets des diffuseurs publics Radio-Québec et Radio-Canada, tout en exigeant qu'ils se retirent des créneaux publicitaires payants au profit du réseau TVA.

La saga Vidéotron dure presque 5 mois devant les tribunaux. Finalement, la transaction a lieu. Quebecor investit 1,035 milliard $ comptant, à partir d'un emprunt d'un milliard de dollars, et plus du double en valeurs d'actifs, soit presque tous ses actifs autres que ceux d'Imprimeries Quebecor. La Caisse, par sa filiale Capital Communications CDPQ, s'engage à débourser 2,2 milliards $ comptant en plus de sa participation dans Vidéotron, évaluée à 500 millions $. Il s'agit d'un montant sans précédent pour un investissement privé de la Caisse. Les deux partenaires se retrouveront à hauteur respective de 54,7 % et 45,3 % au sein de la nouvelle entité Québecor Média, dont la valeur de départ est estimée à 8,7 milliards $.

Cette acquisition s'est faite au sommet de la bulle technologique, au moment où la fusion des géants AOL et Time-Warner – pour un montant jamais vu de 164 milliards $ ! – avait frappé les imaginations comme étant le modèle de l'avenir. Cette transaction monstre réunissait le numéro un mondial de la distribution Internet (AOL) et un gigantesque empire des médias et du divertissement (Time-Warner). C'était une des premières applications de la convergence de l'informatique, des médias et des télécommunications. Un nouveau modèle d'affaires venait de naître. On allait s'en inspirer. La fusion de Vidéotron et Quebecor permettrait, selon les dirigeants de la Caisse, de créer « *un leader dans le domaine des communications et de la nouvelle économie* », en intégrant l'accès Internet (Netgraphe et Canoë) et le contenu (télévision, quotidiens et magazines). Mais ces transactions avaient été conclues au sommet de la bulle boursière. À partir de 2001, les titres des compagnies « *dot-com* » commencent à s'effondrer. En 2002, AOL-Time-Warner rapporte des pertes records de 99 milliards $ et la valeur de l'actif de l'entreprise chute de 226 milliards à 20 milliards $US. En 2003, Time-Warner laisse tomber l'appellation AOL et cette dernière redevient une compagnie indépendante en 2009.

Au Québec, Québecor Média subit une dévaluation de 40 %. PKP doit se rendre à New York pour négocier un emprunt de 1,3 milliard $ sur le marché des *junk bonds* (obligations de pacotille). Des rumeurs de faillite circulent. « *Il y avait une tension et une nervosité incroyables au siège social de Quebecor* », raconte Luc Lavoie, qui était alors vice-président aux affaires générales. Il faut dire qu'avant la transaction Vidéotron, Quebecor avait effectué des acquisitions qui dépassaient les trois milliards $.

## L'épisode Donohue

Au moment même où Quebecor négociait l'achat de Vidéotron, l'entreprise cédait le contrôle de la papetière Donohue à Abitibi-Consolidated qui devenait, par la même occasion, la plus importante papetière au monde. Considérant la surcapacité de production dans l'industrie du papier journal, PKP avait décidé que Donohue n'était plus un actif stratégique pour Quebecor et mettait l'usine en vente. En 1999, les revenus de Donohue ne représentaient plus que 22 % des revenus de Quebecor comparativement à 69 % pour Imprimeries Québecor. C'est cette même année 1999 que Quebecor fait l'acquisition de World Color Press pour 1,3 milliard $. Toujours au cours de la même année, Quebecor fait aussi l'acquisition de Sun Media et verse 400 millions $ comptant pour d'autres actifs dans le domaine des médias.

Quebecor échange donc ses actions de Donohue contre 300 millions $ et des actions d'Abitibi. Mais Abitibi ayant un actionnariat diversifié, Quebecor devient, avec 11 % des titres, le plus important actionnaire. Rapidement, PKP se montre insatisfait de la performance et de la gestion d'Abitibi et il cherche à imposer Michel Desbiens, l'ancien patron de Donohue, aux commandes de la nouvelle entreprise. Mais les administrateurs anglophones du conseil d'administration soutiennent le président d'Abitibi, John Weaver. PKP doit céder devant l'*establishment* de la papetière.

## Les véritables visionnaires

La transaction Vidéotron-Quebecor était une bonne transaction pour le Québec. La Caisse avait énormément investi dans la câblodistribution, au cours des années, et il aurait été inacceptable de céder ce secteur économique d'avenir à Rogers. De même, si on peut déplorer que la convergence entre le câble et la télévision se soit faite au profit d'une entreprise privée – en l'occurrence TVA – plutôt que Télé-Québec, il aurait été désastreux au point de vue économique et culturel d'en céder le contrôle à des intérêts canadiens-anglais.

La transaction Vidéotron-Quebecor a également été une bonne transaction pour Quebecor. D'ailleurs, l'article de Michel Nadeau dans la revue *Forces* est intitulé « *Comment Vidéotron a sauvé Quebecor* ». L'ancien numéro deux de la Caisse souligne que Vidéotron apporte aujourd'hui plus de 75 % des profits de l'entreprise. PKP avait lourdement endetté Quebecor avec l'achat d'imprimeries en difficultés financières et la faillite de Quebecor World en 2008 aurait pu entraîner celle de l'ensemble de l'empire Quebecor.

Aujourd'hui, PKP est présenté comme un visionnaire pour avoir réussi à transformer Quebecor d'entreprise axée sur l'imprimerie en un conglomérat basé sur les télécommunications. Une analyse plus approfondie apporte un autre éclairage. D'abord, au sein de Quebecor, s'il faut attribuer le qualificatif de « *visionnaire* », il revient à son frère Éric. Il a été celui qui a introduit le premier ordinateur au sein de l'entreprise et a été pendant longtemps le seul à être branché à Internet. Déjà, en 1993, il organisait des colloques sur les nouveaux médias partout aux États-Unis. Il a convaincu son père d'investir dans ce champ d'activités et à créer Québecor Multimédia. Pendant que PKP achetait des imprimeries en faillite à travers le monde, Éric apprivoisait les nouveaux médias et mettait en ligne le *Journal de Montréal,* dès 1996.

Cependant, les véritables visionnaires se trouvaient au sein de la direction de la Caisse de dépôt et placement qui avait, depuis le début des années 1970, investi des millions de dollars dans la câblo-distribution et les communications. En 2000, l'intérêt de la Caisse était certainement de bloquer la vente de Vidéotron à Rogers, mais également de soutenir Quebecor.

Les historiens aiment répéter que ce ne sont pas les grands hommes qui font les grands événements, mais le contraire. Dans le cas de PKP, à qui on accorde à tort le titre de *self-made-man,* il faut admettre que la Caisse de dépôt compte pour beaucoup dans sa réussite et dans l'établissement de sa réputation d'homme d'affaires.

D'une part, au lendemain de l'acquisition de Vidéotron, étranglé par l'endettement considérable de son entreprise, PKP décide que l'assainissement des finances de Quebecor passe par la dévaluation des conditions de travail de ses employés en recourant aux lock-out et aux briseurs de grève. D'autre part, après l'échec de la prise de contrôle d'Abitibi et la faillite de Quebecor World, PKP abandonne les projets d'expansion de l'entreprise aux États-Unis et ailleurs dans le monde. Avec l'acquisition de Sun

Media et de Vidéotron, le Canada est devenu son nouveau terrain de jeu et les télécommunications, la principale activité de l'entreprise.

# CHAPITRE 2
## L'antisyndicaliste

*I**l y a une douzaine d'années, au tout début du Journal de Montréal, j'avais dit aux employés d'alors qu'à partir du moment où le journal deviendrait le plus florissant des quotidiens, ils seraient les mieux payés du secteur. Le* Journal de Montréal *est devenu effectivement le plus important des journaux québécois et ils sont aujourd'hui mieux payés que leurs confrères à l'emploi d'autres journaux. Par ailleurs, nous avons été au Québec, pour ne pas dire au Canada, les instigateurs de la semaine de quatre jours. En vérité, nous croyons que le premier pas vers la participation est la mise en place de conditions de travail propices au développement et à l'épanouissement des travailleurs.* »

Extrait de « *Entretien avec Monsieur Pierre Péladeau, président et chef de la direction, Quebecor Inc.* » dans Michel G. Bédard, Léo-Paul Lauzon, Gilbert Tarrab, *L'homme d'affaires québécois des années 1980*. Éditions Hurtubise HMH. 1983.

Depuis ses origines, le Parti Québécois s'est affiché comme un parti social-démocrate. Il a été l'instigateur des plus importantes mesures sociales de l'histoire du Québec (Loi anti-briseurs de grève, formule Rand, Loi sur l'équité salariale, Loi 101, Loi sur le zonage agricole, Centres de la petite enfance, etc.). Les relations entre le Parti Québécois et le monde syndical ont toujours été marquées par une certaine tension. Celle-ci peut être créatrice, comme à l'époque du « *préjugé favorable aux travailleurs* » de René Lévesque, mais peut également être destructrice, comme lors de la politique du *Déficit zéro* de Lucien Bouchard.

Chose certaine, pour aspirer à réaliser l'indépendance du Québec, le Parti Québécois doit pouvoir compter sur l'appui militant des organisations syndicales, qui sont les principales organisations de masse de la société, avec un *membership* qui comprend 40 % de la main-d'œuvre québécoise. Pour ce faire, un chef du Parti Québécois doit pouvoir rallier les différentes tendances au sein du parti, mais également s'adjoindre, à l'extérieur du parti, les grandes organisations syndicales, féministes, étudiantes et populaires, comme Jacques Parizeau l'a fait en 1995 avec les *Partenaires pour la souveraineté.*

PKP peut-il être ce rassembleur ? Peut-il fédérer les différentes tendances au sein du Parti Québécois ? Un rappel de son attitude générale à l'égard du mouvement syndical dans différents conflits doit être versé à son dossier.

### De Carl à Karl

À la fin des années 1970, le jeune Pierre Carl se découvre une âme de révolutionnaire et s'engage dans le mouvement marxiste-léniniste de l'époque. Sa découverte de Karl Marx a sur lui un tel effet qu'il décide d'orthographier son nom avec « K », en hommage au grand théoricien révolutionnaire.

Dans la biographie qu'il a consacrée à Pierre Péladeau, Julien Brault raconte que « *lors d'une*

*fête organisée au prestigieux club Saint-Denis pour*
*célébrer ses 18 ans, Pierre Karl Péladeau fit un*
*esclandre. Communiste et plus généralement*
*révolté, il traita son père et des invités de* " bourgeois " *avant de s'enfuir* ». Refusant toute aide
financière de son père, PKP travaille alors comme
plongeur pour payer ses études et, nous dit encore
Brault, « *remplissait ses temps libres en distribuant*
*des tracts du Parti communiste ouvrier* ».

Après avoir obtenu un baccalauréat en philosophie de l'UQAM, PKP décide, à l'âge de 21 ans, de
poursuivre ses études à l'Université de Paris VIII,
une institution reconnue pour ses tendances, disons
de gauche. Un an plus tard, il se réconcilie avec son
père lors d'un dîner dans un grand restaurant pari-
sien. Il abandonne alors ses études en philosophie
pour s'inscrire en droit. C'est la fin de sa période
gauchiste. Que sa foi révolutionnaire se soit si rapidement estompée n'est pas étonnant, lorsqu'on sait
que son compagnon d'armes pour ces activités « *révo-*
*lutionnaires* » à Montréal était son coloc, qui n'était
nul autre que le fils de Roger D. Landry, éditeur de
*La Presse* et une des principales têtes de turc du film
*Le Temps des Bouffons* de Pierre Falardeau. En
1985, à 24 ans, PKP revient à Montréal travailler
pour Quebecor à temps plein. Parallèlement, il poursuit des études en droit à l'Université de Montréal et
passe les examens du Barreau.

### Le journal de Cornwall

En 1993, c'est en tant que vice-président aux
ressources humaines qu'il négocie le renouvelle-

ment de la convention collective des pressiers et des typographes du *Journal de Montréal*. Déterminé à congédier plusieurs conducteurs de presse, par suite de la modernisation de l'imprimerie, PKP décrète un lock-out et installe des presses dans la ville ontarienne de Cornwall pour contourner la loi québécoise anti-briseurs de grève. Des cadres sont envoyés pour remplacer les pressiers et l'usine de Cornwall est entourée de barbelés et surveillée par des agents de sécurité. Le conflit va durer cinq mois.

Mais le syndicat des Teamsters ne se laisse pas intimider et réplique avec des moyens de pression de la même eau. Pierre Karl veut leur tenir tête, mais son père est d'un autre avis. Julien Brault cite Luc Desaulniers, un employé de Quebecor : « *Un matin, il y avait eu une rafale de mitraillette à travers les fenêtres du deuxième étage. Quand Péladeau a vu ça, il a appelé Pierre Karl. Il était question qu'il le mette dehors* ». Finalement, Pierre Péladeau achète la paix en acquiesçant aux demandes des pressiers et leur verse 350 000 $ en compensation pour leur départ. Il expédie Pierre Karl à Paris en créant spécifiquement pour lui le poste de président d'Imprimeries Québecor Europe. Julien Brault ajoute que « *sa nomination était facilitée par sa fiancée d'alors, Isabelle Hervet, la fille d'un riche banquier français qu'il allait épouser quelques mois après son arrivée en France* ».

## Lock-out à Vidéotron

On ne connaît pas l'étendue des études marxiennes de PKP mais, de toute évidence, il a saisi l'essentiel de l'analyse du *Capital* de Karl Marx. La plus-value, à l'origine du profit, provient du travail gratuit des travailleuses et des travailleurs et s'obtient par l'allongement de la durée de la journée de travail ou de l'intensification du travail. C'est cette leçon qu'il a mise en pratique lors du conflit à Vidéotron et dans ses autres établissements.

Après l'acquisition de Vidéotron avec l'aide de la Caisse de dépôt et placement, les nouveaux propriétaires de l'entreprise font face à d'énormes difficultés financières et concurrentielles. Il y a toujours dans le paysage le géant Bell qui, avec la fibre optique et la télé par satellite, menace les câblodistributeurs. Mais, surtout, on assiste à l'effondrement de la bulle financière des « *dot-com* » qui entraîne une dévaluation de 40 % de la valeur de Quebecor. PKP, qui avait dû emprunter un milliard de dollars pour l'achat de Vidéotron, est obligé de négocier un autre emprunt de 1,3 milliard $ sur le marché new-yorkais des obligations de pacotille.

Devant cette situation catastrophique, alors que plusieurs spéculent sur la faillite imminente de Quebecor, sa réaction est la réaction typique des capitalistes : faire porter le fardeau de ses aventures financières sur le dos de ses employés. Quelques jours après que le CRTC eût donné son accord à la transaction, PKP met en vente 50 % du parc de véhicules de Vidéotron. 664 techniciens sont vendus à Alentron, une filiale de la compagnie Entourage Solutions technologiques. Une fois au service de cette entreprise, ils devaient travailler cinq heures de plus par semaine et se résoudre à une perte salariale oscillant entre 31 et 34 %. Au

total, PKP veut couper 30 millions $ sur une masse
salariale de 110 millions $. Il demande plusieurs
concessions à ses employés, dont une utilisation
sans restriction de la sous-traitance et une simpli-
fication des processus de mouvement de main-
d'œuvre et de mise à pied.

Le 8 mai 2002, les 2 200 travailleurs affiliés au
Syndicat canadien de la fonction publique (SCFP)
rejettent ces demandes et votent pour un débrayage.
Une quinzaine de minutes plus tard, la direction
décrète un lock-out. Cinq jours plus tard, la transaction avec Entourage est conclue. Quebecor ne veut
plus négocier avec les 664 salariés concernés, considérant qu'ils ne sont plus à son service. Les télécommunications étant de juridiction fédérale, l'entreprise est régie par une charte fédérale et peut avoir
recours à des briseurs de grève. PKP ne s'en prive
pas. Décidément, le fédéralisme a ses bons côtés. Le
conflit s'envenime rapidement.

Après dix mois d'affrontement, les deux parties
parviennent à une entente. Vidéotron accepte d'an-
nuler la transaction avec Entourage et de reprendre à son service les 664 techniciens. En revanche,
le syndicat accepte qu'une proportion allant jusqu'à
40 % du service et de l'installation puisse être
confiée à des sous-traitants, contre seulement 15 %
auparavant. Il sera également possible d'octroyer
20 % de la construction du réseau à des sous-traitants, ce qu'interdisait entièrement la précédente
convention collective. L'entente comprend aussi
l'élimination de 248 emplois. De plus, la semaine de
travail passe de 35 heures à 37,5 heures. Ces deux
heures et demie supplémentaires seront fournies

gratuitement par les techniciens et à demi taux par les autres travailleurs.

La partie syndicale est forcée d'accepter une réduction annuelle du nombre de congés de maladie de 15 à 10 jours. Le nombre de jours fériés passe de 16 à 14 par année. Les techniciens devront dorénavant fournir leurs propres vêtements de travail. Pour ce qui est des vacances, le nouveau maximum sera de six semaines annuellement, soit deux de moins que dans la convention collective précédente. En somme, la grève se termine par une cuisante défaite pour les 2 200 travailleurs concernés. De son côté, la direction de Vidéotron pavoise. « *La vente des techniciens à Entourage devait rapporter 15 millions $ par année, mais les concessions consenties par les syndiqués ont permis d'obtenir davantage* », clame Luc Lavoie, le porte-parole de Quebecor.

Dans ce conflit, la Caisse de dépôt et placement a pesé de tout son poids du côté de l'employeur. Elle a répété le scénario de Steinberg. La Caisse s'était alors associée à un prête-nom, Michel Gaucher, pour prendre le contrôle de Steinberg et vendre les magasins d'alimentation pour se débarrasser du syndicat, qui avait la meilleure convention collective du domaine de l'alimentation, le tout afin de rentabiliser ses investissements dans Provigo et Métro.

## Lock-out au *Journal de Québec*

Le *Journal de Québec* avait connu 40 années d'activité sans conflit, jusqu'à ce qu'un lock-out soit décrété le 22 avril 2007. Il durera 473 jours. PKP s'était préparé à cet affrontement. Des caméras ont été installées dans les locaux du journal et des gardiens de sécurité ont fait leur apparition. Quatorze cadres supplémentaires, embauchés juste avant le début du conflit, assureront, en compagnie des autres cadres, la parution du journal, avec le recours à des firmes extérieures.

Le Syndicat dénoncera ces pratiques et accusera PKP de violer la loi anti-briseurs de grève. Dans son rapport du 12 décembre 2008, la commissaire du travail Myriam Bédard leur donnera raison. Selon elle, l'article 109.1 du Code du travail est enfreint par le recours à la firme Keystone, qui embauche et assigne des photographes spécifiquement pour le *Journal de Québec* ; le recours à Ferron Communications, qui embauche des journalistes qui s'identifient au site Canoë ; à Canoë, qui embauche une dizaine de journalistes pour produire du contenu qu'utilise le *Journal,* alors que Canoë n'était jusque-là qu'un agrégateur de contenu ; à l'Agence Nomade, créée en août 2007, dont la production est dédiée exclusivement à la nouvelle agence de presse QMI ; à l'entreprise Côté Tonic Inc., pour l'infographie ; à l'Ontarienne Kanata pour les petites annonces.

L'essentiel du débat porte sur la notion d'« *établissement* ». L'employeur argumente que les personnes auxquelles il a recours ne travaillent pas dans l'établissement et ne peuvent donc pas être considérées comme des briseurs de grève. La commissaire juge que le moyen le plus approprié, sinon le seul moyen, de déterminer ce qu'est l'« *établissement* », est de comparer le fonctionnement de la rédaction du *Journal de Québec* avant et après le début du lock-out : le même travail est-il effectué ? Selon elle, « *dès le début du conflit, on a créé de toutes pièces une structure permettant de faire faire le travail des journalistes en lock-out par d'autres journalistes. Ces structures ont été mises en place dans le but de continuer à publier le journal malgré le conflit* ».

Cependant, le Code du travail ne contient aucune définition du mot « *établissement* » et le juge Marc St-Pierre de la Cour supérieure invalidera la notion d'établissement établie par la décision de la commissaire Myriam Bédard. Sa décision sera maintenue par la Cour d'Appel.

Finalement, une entente de principe interviendra le 2 juillet 2008. Le syndicat a dû accepter une augmentation de la durée de la semaine de travail de 32 heures à 37,5 heures, mais considère qu'il est parvenu à un règlement honorable à cause du rapport de forces qu'il a pu établir avec la publication du journal *Média Matin Québec,* dont plus de 12 millions 750 mille exemplaires ont été distribués gratuitement aux citoyens de Québec pendant le conflit. Mais Denis Bolduc, le président du Syndicat lors du conflit, a confié à *l'aut'journal* que, dès le retour au travail, l'employeur a carrément tenté d'outrepasser des clauses pourtant claires de la convention collective.

## Lock-out au *Journal de Montréal*

Un an et demi plus tard, le 24 janvier 2009, PKP décrète un nouveau lock-out, cette fois au *Journal de Montréal*. Les demandes patronales ont un air de déjà vu : réduction salariale de 20 $ pour les employées des petites annonces, réduction des avantages sociaux de 20 %, augmentation de la semaine de travail de 25 % sans compensation, réduction des clauses professionnelles.

Encore une fois, on assiste à un recours massif à l'emploi de briseurs de grève. À la veille du conflit, des cadres supplémentaires sont embauchés et il y a une augmentation significative du nombre de journalistes dans les publications périphériques de Quebecor à Montréal. Ainsi, au cours de l'automne 2008, de nouveaux employés sont formés à la « *manière* Journal de Montréal » par des cadres, lors de « *stages* » au journal *24 Heures*. Des « *mises à niveau* » ont lieu aux sites Internet du *24 Heures,* de *7 jours.ca* et d'*Argent.ca* afin de produire davantage de contenu de façon indirecte pour le bénéfice du *Journal de Montréal.* Si des chroniqueurs ont mis fin à leur collaboration, plusieurs autres l'ont poursuivie. De plus, le journal fait appel à de nouveaux chroniqueurs, dont Gilles Proulx, Stéphane Gendron, Robert Poëti, Sophie Durocher et Guy Fournier, sans compter que Joseph Facal, un ancien camarade de classe de PKP au Collège Français, accepte de doubler sa prestation.

Au plan technique, Côté Tonic Inc. sera de nouveau de la partie et va cette fois collaborer à la révision linguistique, à l'édition du journal, à la mise en page d'articles et de cahiers divers. L'Ontarienne Kanata sera aussi mise à contribution pour le montage. La comptabilité est assurée à St-Jérôme par un « *hub* » qui regroupe aussi la comptabilité du *Journal de Québec* et de l'ensemble des hebdos de

Québecor. Le travail infographique de la page
« *5 minutes* » est réalisé à Paris par l'agence Idé.

Le Syndicat a réussi à faire reconnaître par la
Commission des Relations du travail l'emploi de
deux briseurs de grève, Guy Bourgeois et Sylvain
Prevate, mais le jugement de la Cour supérieure
invalidant la décision de la juge Bédard sur la
notion d'établissement tombe après huit mois de
lock-out. Il signifiait de facto la perte du rapport de
forces pour le syndicat. Le conflit a duré 764 jours
et il s'est terminé par une cuisante défaite syndicale. Seulement 62 des 253 employés, dont une poi-
gnée de journalistes, ont retrouvé leur emploi.
Selon Pierre Roger, le président de la Fédération
nationale des communications (FNC-CSN), le
conflit a changé le rapport de forces dans les
médias. Il résume, en deux mots, la méthode PKP
face aux syndicats : « *Non-négociation* ».

## L'épître antisyndical

En janvier 2010, lors de la « *Rencontre économique 2010* », Pierre Karl Péladeau a fait paraître
une lettre dans le *Journal de Montréal,* intitulée
« *Et si nous posions d'autres questions pour l'avenir
du Québec ?* », dans laquelle il présentait sa conception du rôle que devrait jouer le mouvement syndical dans le Québec contemporain.

Bien entendu, il affirme, d'entrée de jeu, qu'il ne
s'agit pas de « *remettre en cause ni leur existence ni
même leur apport plus que positif au cours du XX^e
siècle* ». Mais il enchaîne immédiatement avec des
propositions pour corriger ce qu'il considère être

« *le déséquilibre des forces que toutes les législations des dernières décennies ont créé entre employeurs et syndicats* ». Cela aurait eu pour conséquence, selon lui, de « *défavoriser les entreprises québécoises dans le contexte économique mondialisé* », de « *rendre plus difficile l'émergence de jeunes entrepreneurs* » et « *de pénaliser notre désir collectif, voire notre obligation, d'accroître notre productivité* ».

Quelles sont ses solutions ?

Se drapant dans le grand idéal de la liberté, « *autant une valeur qu'une vertu cardinales* », il se demande « *s'il ne serait pas légitime de nous (sic !) permettre, comme citoyens bénéficiant d'une maturité politique et démocratique, de décider si nous voulons ou non faire partie d'une organisation syndicale et d'en payer les cotisations* ». À cet égard, il cite l'exemple de la France ou « *la liberté d'adhésion syndicale est consacrée* ». En fait, la comparaison avec la France ne tient pas la route. Le régime des relations de travail et la tradition syndicale diffèrent complètement des nôtres. Mais il convient tout de même de signaler que le taux de syndicalisation en France a chuté dramatiquement au cours des dernières décennies et s'établit à environ 5 % de la main-d'œuvre. En fait, PKP s'inspire plutôt d'anti-syndicalistes notoires comme Éric Duhaime, Réjean Breton et les « *chercheurs* » de l'Institut économique de Montréal. Sa proposition en est une de liquidation de la formule Rand comme celle qui est actuellement sur la planche à dessins du gouvernement Harper à Ottawa.

Pour sa deuxième proposition, PKP regarde du côté des États-Unis. Il propose la mise au rancart de

« *la création d'une unité d'accréditation par la simple signature de cartes d'adhésion* », une politique que, dit-il, « *l'administration Obama et les démocrates aux États-Unis sont en train d'abandonner* ». En fait, cela revient à endosser le modèle des « *Right to Work States* » aux États-Unis, où le vote obligatoire est en vigueur. Cette mesure est responsable de la chute du taux de syndicalisation chez nos voisins du Sud qui est passé, au cours des quarante dernières années, de 35 % à 11 % ! L'abandon par Obama et le Parti Démocrate de leur engagement à modifier le Code du travail américain en s'inspirant du modèle québécois (signature de cartes plutôt que vote obligatoire) n'est rien d'autre qu'une des nombreuses capitulations d'Obama devant le lobby des forces d'extrême-droite aux États-Unis. Rappelons que ce vote obligatoire, que PKP proposait en 2010, constituait l'essentiel du programme « *syndical* » de la CAQ de François Legault, lors de la dernière campagne électorale.

Enfin, PKP nous invitait, dans son épître de 2010, à « *nous interroger sur ce privilège qui permet aux employés en conflit de travail de ne pas payer d'impôt sur les prestations monétaires qu'ils reçoivent de leurs syndicats* ». Surtout, n'allez pas croire que PKP, non satisfait du rapport de forces qu'il a réussi à instaurer face à ses employés en contournant l'esprit de la loi anti-briseurs de grève, en demande plus !

Mais non !, rassurez-vous, sa demande n'a pour but que d'alléger le fardeau fiscal des contribuables « *déjà assujettis à un fardeau fiscal que tous reconnaissent parmi les plus lourds du continent* ».

PKP évite de mentionner qu'il contribue à alourdir le fardeau fiscal des contribuables avec sa rémunération de Québecor. De ses revenus globaux de 8 282 487 $ en 2013, une somme de 1 430 000 $ provient d'options d'achat d'actions, qui ne sont imposables, comme gains en capitaux, qu'à 50 %, contrairement aux salaires des travailleurs qui sont imposables à 100 %.

Dans une entrevue accordée à Gérald Filion de Radio-Canada, PKP ne donnait plus le modèle français comme exemple à suivre, mais le modèle allemand. De toute évidence, il faisait référence à la présence des représentants des salariés siégeant aux conseils d'entreprise.

Mais ce modèle est en crise profonde. Ainsi, pour la décennie comprise entre 1989 et 1999, le taux de syndicalisation a chuté en Allemagne de 38 % à 30 %. Et ces chiffres sont trompeurs, car ils tiennent compte des chômeurs, des retraités et des étudiants, qui restent toujours affiliés à un syndicat. Le taux de syndicalisation net était plutôt de 20 %, pour la période étudiée, et il n'était plus que de 18 % en 2011. Il faut également savoir que le conseil d'entreprise est la représentation institutionnelle des salariés et non des syndicats !

Pour conclure, il semble bien que le modèle syndical préféré de PKP est un syndicat sans syndiqués, de la même façon qu'il a publié, pendant les trois années des conflits au *Journal de Québec* et au *Journal de Montréal,* des journaux sans journalistes !

## CHAPITRE 3
# L'axc Péladcau-Mulroney-Harper

À l'automne 2014, Pierre Karl Péladeau affirmait « *douter de la pertinence du Bloc Québécois* ». Devant une quarantaine de militants, il a déclaré que « *le Bloc ne sert strictement à rien, sauf à justifier le fédéralisme* ». Devant la levée de boucliers des Gilles Duceppe, Pierre Paquette, Mario Beaulieu et Bernard Drainville, PKP a transformé son affirmation en simple interrogation ! Belle contorsion politique, mais il n'en demeure pas moins que PKP venait d'affaiblir le Bloc en relançant le débat sur sa pertinence.

Considérons les conséquences électorales d'une telle déclaration. Même si le Bloc ne peut espérer, à l'heure actuelle, faire élire plusieurs députés lors du prochain scrutin fédéral, il n'en demeure pas moins qu'en récoltant de 15 à 20 % du vote, il peut faire la différence dans plusieurs circonscriptions. La vraie question est de savoir à qui profiterait sa marginalisation, par suite de déclarations comme celle de PKP. De toute évidence, au Parti Conservateur, particulièrement dans les circonscriptions de l'axe Lac-Saint-Jean/Beauce, qui sont dans la mire du parti de Stephen Harper.

Pour comprendre la sortie de PKP contre le Bloc et l'appui ainsi apporté au Parti Conservateur, il faut prendre en considération la lutte féroce que se mènent les entreprises de télécommunications – dont

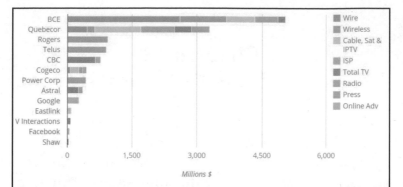

*Millions $*

## Portrait de l'industrie des télécommunications

Les Trois Grands, Bell, Rogers et Telus, distancent largement Québecor au Canada. Au chapitre des profits réalisés en 2012, Bell arrivait au 13ᵉ rang des entreprises au Canada. Rogers se classait au 21ᵉ rang et Telus au 27ᵉ rang. Québecor Média suivait loin derrière au 101ᵉ rang.

Au Québec, le tableau est différent, comme le démontre le portrait d'ensemble de l'industrie tracé en 2013 par le *Canadian Media Concentration Research Project*. Cette étude décrit la situation des medias francophones au Québec en tenant compte des 8 secteurs de l'économie des médias : la câblodistribution ; la téléphonie ; l'accès internet ; la télévision généraliste ; les canaux spécialisés payants ; les revenus de publicité pour la radio, la télévision et Internet.

Le premier constat : L'ensemble de cette industrie est en pleine expansion. Elle est passée d'une valeur de 9,8 milliards $ en 2000 à 14,5 milliards $ en 2012. Les secteurs en croissance sont la publicité sur Internet, l'accès Internet, la téléphonie, le câble, le satellite et la télévision. La téléphonie fixe et les journaux sont en déclin. La radio est stable.

De ce portrait, il se dégage que Bell encaisse un tiers des revenus (5 milliards $). Québecor vient loin derrière avec un quart des revenus (3,3 milliards $). L'acquisition d'Astral par Bell, depuis la parution de cette étude, a accentué l'écart. Au Québec, les revenus de Bell sont égaux à ceux de Québecor, Telus et Rogers réunis.

Seuls Bell et Québecor sont des entreprises intégrées avec Internet, téléphonie, télévision, câblodistribution ou satellite. En 2012, les intérêts de Telus et Rogers se limitaient principalement aux services de téléphonie sans fil. Cogeco était partiellement intégré, mais avec des revenus de seulement 445 millions $, soit seulement 3,1 % de l'ensemble du réseau de l'économie des médias. Power Corporation, par l'entremise de Gesca, et Québecor se partagent le marché des quotidiens avec chacun 47 %. Absent du marché des télécommunications, Power Corporation est un joueur mineur dans cette économie des médias. Le véritable concurrent de Québecor est Bell.

fait partie Québecor – et leur dépendance à l'égard de décisions réglementaires et politiques du gouvernement Harper pour leurs projets d'expansion.

## La bataille des canaux spécialisés

Du côté des canaux spécialisés, la compétition est vive entre les distributeurs Bell, Rogers et Vidéotron. À même les revenus provenant de leurs abonnés, les distributeurs versent des redevances aux propriétaires de canaux spécialisés en échange du droit de distribution de leurs émissions.

De 2005 à 2013, la part de l'écoute des canaux spécialisés et des services payants est passée de 30,8 % à 45,6 %, alors que les parts des canaux généralistes TVA et Radio-Canada restaient relativement stables à respectivement 25,1 % et 14,2 %. En termes de profitabilité, les canaux spécialisés et services payants parviennent, année après année depuis 1997, à dégager des marges bénéficiaires supérieures à celles des stations privées généralistes. Elles s'élevaient à 19 % en 2012, après avoir, pendant plusieurs années, tourné autour de 25 %, alors que le meilleur résultat des généralistes a été de 14 % en 2010.

Bien qu'on ait qualifié PKP de « *visionnaire* », force est de reconnaître que Québecor a raté le virage des canaux spécialisés et des services payants. La place centrale a été occupée par Astral Média, si bien qu'en 2013 les canaux spécialisés et les services payants dans lesquels le groupe Astral Média détenait une participation d'au moins 50 % totalisaient près du quart de l'écoute des franco-

phones au Québec. PKP a longtemps cru à la pré-
éminence de la télévision généraliste (TVA) et ce
n'est qu'après avoir assisté à l'érosion durable des
cotes d'écoute des chaînes généralistes que
Québecor a amorcé le virage avec le lancement de
LCN, Canal Argent, TVA Sports, etc.

On comprend facilement la stupeur de PKP
lorsque Bell a offert 3,38 milliards $, en 2013, pour
l'achat d'Astral Média. Le message était clair : Bell
achetait du contenu pour se battre contre Québecor.
PKP est monté aux barricades et a déclaré que le
seuil de concentration avec cette transaction s'ap-
procherait dangereusement de celui du conglomérat
Mediaset de Silvio Berlusconi, en Italie ! Le CRTC
a refusé la première offre de Bell, mais cette dernière est revenue à la charge et sa deuxième offre a
été acceptée, le 27 juin 2013. Elle prévoit l'achat de
12 des 25 chaînes de télé d'Astral et de 74 de ses 84
stations locales de radio. Bell devenait ainsi le
deuxième diffuseur francophone en importance avec
22,6 % des parts d'écoute derrière Québecor, avec
31 %. Québecor s'est prononcée à l'automne 2014
devant le CRTC pour la déréglementation de l'industrie, c'est-à-dire pour le libre choix du consom-
mateur à ne payer que pour les canaux qui l'intéres-
sent. Québecor fait le pari qu'elle paierait moins de
redevances à ses concurrents.

Quelques mois plus tard, Rogers Communications et Péladeau répliquaient en arrachant au
Réseau des sports (RDS), propriété de Bell, les
droits de télédiffusion des parties de hockey de la
LNH au Canada. Dans un premier temps, Rogers
s'engageait à payer 5,2 milliards $ pour ces droits

au cours des 12 prochaines années. Dans un deuxième temps, Rogers cédait à TVA les droits francophones pour les matchs de la LNH ainsi que pour tous les matchs du Canadien (présaison, saison et séries éliminatoires) pour plus de 120 millions $ par année, pour un total de 1,44 milliard $. Toutefois, le contrat prévoyait que 60 des 82 matchs de saison pouvaient être mis aux enchères par le Canadien. Pour éviter d'être évincé du décor, RDS a dû acquérir les droits sur ces 60 matchs pour un montant de 68 millions $, soit plus du double du montant qu'il déboursait jusque-là (31 millions $) pour présenter tous les matchs du Canadien! Pour sa part, Péladeau se retrouve avec une facture de 52 millions $ pour 22 matchs et les séries éliminatoires. RDS et TVA ressortent donc considérablement amochés du mouvement de surenchère amorcé par Rogers et Québecor. De leur côté, la LNH et le Canadien sont morts de rire !

De l'avis des analystes, l'âge d'or des canaux spécialisés et payants est chose du passé, à cause de la popularité croissante de la diffusion par Internet (Netflix, etc.). Ils affirment que l'avenir, en termes de profits, appartient à la diffusion en mode continu.

### Vidétoron, le 4e joueur ?

Un rapport du CRTC a établi que le Canada est le cinquième pays le plus cher pour le sans-fil, sur six pays étudiés par l'organisme de réglementation en 2012 (Canada, États-Unis, Royaume-Uni, France, Australie, Japon). Les tarifs seraient d'environ 40 % plus chers que ceux de la moyenne des pays de l'OCDE. Répondant aux *desiderata* des milieux d'affaires, le gouvernement Harper a exprimé publiquement le souhait de voir un quatrième joueur concurrencer les Trois Grands que sont Bell, Rogers et Telus, qui dominent le marché avec 25 millions d'abonnés. C'est pour cela que, lors de ses récentes enchères, Industrie Canada a réservé un traitement préférentiel à des nouveaux joueurs, comme Wind Mobile (750 000 abonnés), Mobilicity (160 000 abonnés) et Vidéotron (590 000 abonnés et 12% du marché au Québec), dans l'adjudication de spectres pour les communications mobiles.

Déjà, en 2013, le géant américain Verizon s'était montré intéressé à s'implanter sur le marché canadien, en offrant 700 millions $ pour la compagnie Wind Mobile. Verizon a un bassin d'environ 100 millions d'abonnés et a enregistré en 2012 un chiffre d'affaires de 115 milliards $, et un bénéfice net de 875 millions $. L'offre de Verizon a fait chuter les titres des Bell, Rogers et Telus en bourse. Il s'en est suivi une levée de boucliers des Trois Grands, appuyés des organisations syndicales et sociales. Finalement, Verizon a renoncé, laissant entendre qu'elle n'était pas vraiment intéressée... pour le moment. Le ministre de l'Industrie, James Moore, avait toutefois indiqué qu'Ottawa ne comptait pas s'opposer à la venue de Verizon sur le marché canadien, estimant que les consommateurs pourraient bénéficier de cette concurrence.

Verizon ayant déclaré forfait, les yeux se sont alors tournés vers Québecor, étant donné le succès remporté par Vidéotron face aux Trois Grands au Québec, d'autant plus que Québecor a profité, en

2014, des enchères réservées aux petits joueurs par Industrie Canada pour acheter, pour un montant de 233 millions $, des blocs de 700 MHz de bandes passantes au Québec, en Ontario, en Alberta et en Colombie-Britannique. Mais, pour être en mesure de concurrencer les Trois Grands au Canada anglais, Wind Mobile, Mobilicity et Vidéotron demandent au CRTC l'autorisation d'utiliser les tours de transmission des Trois Grands, en attendant de pouvoir déployer leurs propres réseaux, et des frais d'itinérance moins élevés. La décision du CRTC est prévue pour le début 2015. Les trois petites entreprises jugent que les frais maxima imposés de façon intérimaire par le gouvernement fédéral sont encore trop élevés.

Les Trois Grands s'opposent à l'entrée d'un quatrième joueur et menacent de réduire leurs investissements si les frais d'itinérance sont abaissés. Sans surprise, l'Institut économique de Montréal (IEDM) est venu en appui à leur cause en produisant une « *étude* » qui taxe de « *mythes* » le fait que les tarifs soient plus élevés au Canada, que le réseau soit moins performant et qu'il y ait moins de concurrence que dans les autres pays industrialisés.

Advenant une décision favorable du CRTC à la présence d'un quatrième joueur au Canada anglais, Vidéotron sera-t-elle en mesure de concurrencer les Trois Grands ? Rien n'est moins sûr, car l'autre défi consiste à trouver le financement nécessaire. La vente récente de Sun Media pour 315 millions $, de Nurun pour 125 millions $ et la transaction en deux temps avec Transcontinental (hebdos régionaux contre magazines) qui a permis de dégager

20 millions $ s'expliqueraient par la nécessité pour Québecor de rassembler les capitaux nécessaires. Mais des analystes croient que Péladeau n'aura pas encore les poches assez profondes. Il serait étonnant que PKP puisse, cette fois, compter sur l'appui de la Caisse de dépôt, comme lors de l'achat de Vidéotron en 2000. La Caisse est aujourd'hui dirigée par Michael Sabia, un ancien p.d.-g. de Bell.

Certains émettent l'hypothèse que Vidéotron pourrait servir de cheval de Troie pour un retour en force de Verizon, une rumeur alimentée par le fait que PKP a défendu sur la place publique l'arrivée de Verizon au Canada. Que Verizon, après avoir déclaré renoncer à son implantation au Canada, ait embauché un lobbyiste pour influencer à la fois Industrie Canada, qui octroie la bande passante, et le Bureau du Premier ministre Stephen Harper au sujet de la Politique canadienne de télécommunication, est peut-être un signal de son retour prochain sur la scène canadienne.

Le président du CRTC croit que Verizon est désavantagée parce qu'elle ne pourrait offrir des forfaits similaires à ses concurrents, faute d'une plate-forme de distribution télé. Une alliance avec Vidéotron réglerait le problème, celle-ci étant toujours propriétaire du réseau Sun News au Canada anglais. Mais, selon d'autres rumeurs, Sun News serait sur le point d'être vendu à ZoomerMedia Ltd. Cela signifierait l'abandon par PKP de tout projet d'expansion de Vidéotron au Canada anglais. Selon certains analystes, plutôt que de rechercher la présence d'un quatrième prétendant à l'échelle du Canada, le gouvernement Harper favoriserait le développement de joueurs régionaux : Wind Mobile en Ontario, en Colombie-Britannique et en Alberta, Eastlink Wireless dans les Maritimes, SaskTel en Saskatchewan et Vidéotron au Québec.

## Les Péladeau et Mulroney

L'expansion de Vidéotron au Canada anglais ou son développement au Québec sont en bonne partie tributaires d'une décision réglementaire du CRTC, un organisme sur lequel le gouvernement Harper exerce une influence déterminante. C'est ici qu'entre en jeu les relations de l'ex-Premier ministre conservateur Brian Mulroney.

Brian Mulroney est un ami de longue date de la famille Péladeau. Jeune avocat, il a négocié la première convention collective au *Journal de Montréal*. Il est le parrain du fils de Julie Snyder et PKP. Après la mort de leur père, Pierre Karl et Éric Péladeau lui ont demandé une rencontre au Club Saint-Denis pour bénéficier de son aide. Par la suite, Murloney a joué un rôle important d'intermédiaire lors de l'achat de Sun Media pour un montant de 983 millions $ et de World Color Press pour 1,4 milliard $. Mulroney a siégé au conseil d'administration de Quebecor Printing Inc et, en 1999, il est devenu président de Sun Media. Après la saga de Vidéotron, il a réconcilié PKP et Ted Rogers. Depuis, les deux entreprises ont conclu des ententes commerciales, dont la plus récente concernant les droits de télédiffusion des matchs de hockey, comme nous l'avons vu précédemment.

Mulroney a aussi organisé un dîner privé entre le couple Snyder-Péladeau et le couple Harper au 24 Sussex, en septembre 2009. Un an et demi plus tard, on assistait au lancement de Sun News. Pour diriger la nouvelle chaîne de télévision, qui se voulait la « *Fox News du Nord* », PKP a embauché Kory Teneycke, l'ancien directeur des communications de Stephen Harper. Sun News, tout comme les journaux de Sun Media, appuie Stephen Harper et ses politiques avec le même esprit partisan que Fox News appuie le Tea Party. La veille du dernier scrutin fédéral, ces derniers publiaient en page frontispice une photo de Stephen Harper avec le titre « *He's our man* ».

Brian Mulroney a aussi présenté PKP à l'élite économique nord-américaine. PKP a été invité au 65$^e$ anniversaire de Brian Mulroney à Palm Beach avec les Paul Desmarais, Conrad Black, David Koch, George Bush senior et plusieurs autres. Plus intrigante encore, la rencontre organisée, en juillet 2002, par Brian Mulroney à Larry's Gulch, un pavillon de pêche du gouvernement du Nouveau-Brunswick sur la rivière Restigouche, où étaient réunis Paul Desmarais Jr, Tom Hicks de Hicks, Muse Tate & Furst, Randall Oliphant de Barrick Gold, Allen Andreas de Archer Daniels Midland Co., Fred Doucet de International Government Relations, George Bush père, Bernard Lord, Premier ministre du Nouveau-Brunswick... et Pierre Karl Péladeau !

Malgré la profession de foi indépendantiste de PKP, l'axe Harper-Mulroney-Péladeau est toujours opérationnel, comme en témoigne la récente nomination de Brian Mulroney à la tête du conseil de Québecor. Faut croire que Mulroney considère toujours PKP – ainsi qu'il le confiait à un journaliste de *L'Actualité,* en octobre 2010 – comme un conservateur avec un petit « c » et un « *Québécois très fier, qui voit un rôle pour le Québec au Canada et en Amérique du Nord* ».

Parmi les autres indices de relations privilégiées entre PKP et Harper, mentionnons deux faits, qui peuvent paraître, à première vue, anecdotiques, mais qui n'en sont pas moins révélateurs du bon état des relations entre les deux hommes. Julie Snyder a fait partie du cercle très sélect de femmes invitées à rencontrer Michelle Obama, lors de la visite du président américain à Ottawa. Et, Stephen Harper a préféré recevoir, au 24 Sussex, les vedettes de l'émission *Occupation Double,* plutôt que les jeunes leaders autochtones du mouvement *Idle No More,* qui avaient sollicité une rencontre avec le Premier ministre du Canada.

Cette alliance entre les conservateurs du Canada anglais et des nationalistes québécois n'est pas nouvelle. Dans l'histoire récente, on peut rappeler l'alliance entre Diefenbaker et Duplessis, de même que celle de Mulroney avec le René Lévesque du « *beau risque* ». Assisterons-nous à une réédition de cette vieille alliance ? Avec l'attaque de PKP contre le Bloc, le chat est à moitié sorti du sac. Mais nous pourrions avoir l'occasion d'admirer le chat dans toute sa splendeur, le jour où PKP annoncera qu'il reporte le référendum jusqu'à ce que « *le Québec dans le rouge* » soit chose du passé et qu'il se soit développé économiquement. Comme succédané, nous aurions droit au « *souverainisme identitaire* », une version XXI<sup>e</sup> siècle de la « *souveraineté culturelle* », pour le plus grand profit de l'empire médiatico-culturel de Québecor. Reste à savoir si le chat sortira du sac pendant la course à la chefferie ou seulement après celle-ci, quand PKP aura accédé à la direction du parti avec le soutien de ceux qui croient qu'il est l'homme providentiel.

# CHAPITRE 4
# PKP et Radio-Canada, de la confrontation à la collaboration

À la stupéfaction générale, Pierre Karl Péladeau publiait, le 6 mai 2014, une libre opinion dans laquelle il se portait à la défense de Radio-Canada, victime de nouvelles compressions budgétaires. Il écrivait : « *Ces compressions budgétaires minent les fondements de Radio-Canada, une institution qui exerce un rôle important pour le maintien et le développement de notre industrie culturelle québécoise. De même, Radio-Canada est un acteur fondamental pour une saine et rigoureuse information de la population* ».

Après avoir rappelé le rôle historique de Radio-Canada, en citant les exemples des émissions *Point de mire* avec René Lévesque et des *Beaux Dimanches* avec Henri Bergeron, et en saluant au passage l'émission *Enquête,* tout en soulignant l'importance d'une information locale, régionale, nationale et internationale de qualité, il concluait que « *l'information n'est pas une simple marchandise, mais l'un des piliers névralgiques de notre société démocratique* » et que, pour cette raison « *la réduction de l'offre de nouvelles à la SRC constitue un recul pour le Québec* ».

Que ceux qui suivent l'actualité médiatique soient tombés en bas de leur chaise, en voyant l'actionnaire de contrôle de Québecor retourner ainsi sa veste et encenser la société d'État, qu'il avait vilipendée pendant des années, est fort compréhensible. Qui a oublié les relations acrimonieuses entre Québecor et Radio-Canada. En 2007, PKP avait poursuivi devant les tribunaux Sylvain Lafrance, le vice-président de Radio-Canada, qui l'avait traité de « *voyou* ». En 2012, c'était au tour de PKP de qualifier Hubert T. Lacroix, le p.d.-g. de la société d'État, de « *procureur à la Vychinski* », du nom du procureur des célèbres procès des années 1930 en Union soviétique.

L'intervention du député de St-Jérôme en faveur de Radio-Canada a été mise sur le compte d'un calcul politique d'un candidat à la chefferie du Parti Québécois, qui voulait amadouer les journalistes radio-canadiens. Une telle interprétation n'est pas sans fondement, mais fort incomplète.

**Le Fonds canadien de télévision**

En 2007, Sylvain Lafrance avait traité PKP de « *voyou* » parce que Vidéotron suspendait ses paiements au Fonds canadien de télévision (FCT), faisait du lobbying auprès du CRTC pour empêcher Radio-Canada de recevoir une plus large contribution financière des distributeurs (satellite et câble), et harcelait dans ses médias la direction de la Société d'État.

En suspendant ses paiements mensuels de 1,2 millions $ au FCT, Vidéotron marchait dans les traces de Shaw Communications. Selon les deux câblodistributeurs, le monde des communications

avait profondément changé depuis la création du
Fonds en 1983 et la mission du FCT devait être
revue. Ils s'en prenaient surtout à la proportion de
37 % des dépenses du FCT, expressément réservée
à CBC/Radio-Canada.

Le FCT a été créé pour venir en aide aux producteurs indépendants. À partir de 1994, il sera ali-
menté par le Fonds de production des câblodistributeurs, une entité privée sans but lucratif, financée entièrement grâce aux contributions des entreprises de distribution de radiodiffusion, en échange
de concessions réglementaires. Le CRTC les obli-
geait à verser 5 % de leurs recettes brutes au
Fonds. Avec des contributions mensuelles de 6 millions $, l'apport de Shaw et Vidéotron était évalué
à environ 30 % du budget du Fonds. En 1996,
Patrimoine Canada a ajouté 100 millions $ par
année à titre de financement supplémentaire et
s'est vu attribuer la responsabilité du Fonds. Le
FCT est devenu le plus important outil de financement de la production télévisuelle au Canada,
après les crédits d'impôt. En 2005-2006, il a investi
249 millions $ dans différentes productions.

L'objectif initial était le développement d'une programmation canadienne. Au Canada anglais, la fai-
blesse des cotes d'écoute des productions canadiennes a montré l'échec de ce programme. Le FCT
est devenu une façon d'enrichir de petits producteurs
privés et un moyen détourné de financer CBC/Radio-
Canada. La situation est complètement différente au
Québec où les productions québécoises figurent au
haut du palmarès des cotes d'écoute, d'où la demande
de Québecor de revoir la mission du FCT.

Bien que la décision de suspendre leurs cotisations était légale au sens strict de la loi, Shaw et
Vidéotron ont décidé de reprendre le paiement de
leurs versements mensuels après que le CRTC eut
décidé de mettre sur pied un comité pour examiner
leurs doléances. Finalement, le gouvernement
conservateur se rendra aux souhaits des deux
câblodistributeurs en fusionnant le Fonds canadien
de télévision et le Fonds des nouveaux médias du
Canada pour créer le Fonds des médias du Canada
en 2010.

Québecor remportera une autre victoire lorsque
le CRTC, en 2010, permettra aux télédiffuseurs
généralistes de négocier avec les distributeurs une
redevance pour la valeur de leur signal, tout en
prenant soin d'exclure CBC/Radio-Canada de cette
négociation. Cela faisait écho à une revendication
de PKP, soit celle de permettre à TVA de toucher
des redevances des distributeurs par câble ou satellite, tout en s'opposant à ce que Radio-Canada
puisse bénéficier d'un tel avantage.

L'argument central de Québecor était que la
société d'État bénéficiait d'un financement
public avec une enveloppe parlementaire
annuelle de 1,1 milliard $, des subventions du
Fonds des médias du Canada, de l'aide du Fonds
d'amélioration de la production locale, et des
redevances de RDI/CBC News Network, en plus
de la publicité commerciale. Soulignons au passage, que, contrairement à la radio et à la télévision de Radio-Canada, la chaîne RDI n'est pas
financée par une subvention gouvernementale,
mais plutôt par les abonnements aux télédistri-

buteurs, dont, évidemment, Vidéotron. PKP laisse entendre que ceux-ci servent à financer une bonne partie de l'ensemble de l'information à Radio-Canada.

## Un affrontement politique

Mais revenons à 2007 et aux empoignades PKP-Lafrance et PKP-Lacroix. Au-delà des gros mots (« *voyou* », « *Vychinski* ») et du conflit de personnalités, elles sont symptomatiques d'une véritable lutte de pouvoir entre Radio-Canada et les partis Libéral et NPD, d'une part, et Québecor et le Parti Conservateur, d'autre part.

Au cours de ces années de confrontation, l'empire Québecor s'est servi de la loi d'accès à l'information pour demander des documents sur la gestion de Radio-Canada et a mené des campagnes contre la direction de Radio-Canada, tant dans les journaux anglophones que francophones, que sur Internet, et sur les ondes de Sun News, en diffusant et en martelant de pseudo scandales. À l'occasion, ces attaques avaient lieu de façon concertée avec le Parti Conservateur. Ainsi, en 2007, à la suite d'un reportage percutant du journaliste Guy Gendron, de l'émission *Zone libre enquête,* sur les sables bitumineux, la directrice des communications du Cabinet du Premier ministre déposa une plainte officielle à l'ombudsman de Radio-Canada. Le directeur des communications du Premier ministre donna même ordre à tous les élus conservateurs de boycotter, pour quelques jours, les demandes d'entrevues des journalistes de Radio-Canada. Au même moment, le journaliste Dany Bouchard écrivait dans le *Journal de Montréal* : « *En coulisse, on chuchote que le reportage de Radio-Canada pourrait être une vengeance à l'égard du gouvernement Harper, qui a donné le feu vert à la révision du mandat et du financement de la société d'État* ». Le Conseil de presse du Québec retiendra la plainte de l'équipe *Zone libre enquête* à l'encontre du *Journal de Montréal* et de Dany Bouchard sous trois griefs : fausse information, publication de rumeurs non étayées, manquement à la responsabilité de rétablir l'équilibre de l'information.

## De nouveaux rounds

En 2011, Radio-Canada répliquera à Quebecor en publiant sur son site web un texte intitulé « *Ce que Quebecor ne vous dit pas quand elle attaque le radiodiffuseur public* ».

« *Depuis plus de trois ans, Quebecor mène une campagne de dénigrement contre CBC/Radio-Canada par l'intermédiaire de ses journaux et, dernièrement, de sa licence pour le réseau de télévision SunNews Network. Mais voici ce que Quebecor ne vous dit pas :*

« *Quebecor a reçu plus d'un demi-milliard de dollars des contribuables en subventions et avantages directs et indirects au cours des trois dernières années, et ce, sans rendre de comptes aux Canadiens ;*

« *Quebecor utilise ces fonds publics et sa position dominante dans certaines industries protégées pour engranger des profits records et, pourtant, se plaint que Radio-Canada fasse " concurrence " à son réseau de télévision TVA.* »

La société d'État révélait également que « *Quebecor, par l'entremise de son patron Pierre Karl Péladeau, a envoyé plus d'une douzaine de lettres au Premier ministre et à d'autres membres de son gouvernement pour se plaindre que Radio-Canada n'achète pas suffisamment d'espace publicitaire dans ses journaux* ».

Quebecor a aussitôt rétorqué en demandant une rétractation immédiate et a donné une autre interprétation aux chiffres avancés par Radio-Canada. Ainsi, selon Quebecor, la contribution du Fonds des médias du Canada à sa programmation (20,5 millions $) est contrebalancée par la contribution de Vidéotron à ce même fonds (21,5 millions $). Les subventions reçues de Patrimoine Canada pour les magazines de TVA Publications relèvent d'un programme dont les autres éditeurs concurrents se prévalent et que Quebecor doit utiliser pour maintenir une position concurrentielle, soutient la direction de Quebecor.

Le litige portait aussi sur le placement de la publicité de Radio-Canada dans les médias de Quebecor et sur les enchères liées à l'acquisition de fréquences. Quebecor se dit victime d'un boycott publicitaire de Radio-Canada et trouve inacceptable qu'une « *société de la couronne comme CBC/Radio-Canada choisisse délibérément d'ignorer la plus importante entreprise de presse au Canada* ». Le conglomérat affirme également n'avoir reçu aucune subvention pour l'achat de licences de spectre pour un total de 555 millions $.

La sortie de Radio-Canada survenait à la veille de la comparution de Pierre Karl Péladeau en commission parlementaire dans le cadre d'une étude portant sur le respect, par le diffuseur public, de la Loi d'accès à l'information. Le groupe Quebecor s'était servi de la Loi sur l'accès à l'information pour demander d'innombrables documents à Radio-Canada dans l'espoir de découvrir un gaspillage de fonds publics. Devant cette commission parlementaire, PKP exigeait « *plus d'ouverture et de transparence* » de la part de la société d'État, alors que celle-ci déclarait se conformer aux règles en vigueur.

Fait significatif, à la commission parlementaire, les députés conservateurs se rangèrent du côté de Quebecor, alors que ceux de l'opposition libérale et néo-démocrate firent cause commune avec Radio-Canada.

## Un procès pour diffamation

Après que Sylvain Lafrance l'eût accusé d'être un « *voyou* », PKP avait entamé des procédures judiciaires pour diffamation. Il réclamait deux millions $, arguant d'une possible perte de revenus via d'éventuels désabonnements. Le procès s'est ouvert le 19 novembre 2010. La réclamation passe alors à sept cent mille dollars, les retombées négatives sur les ventes étant moindres que ce qu'on avait cru au départ, plaide PKP.

Au cours du procès, le juge Larouche accuse PKP d'avoir « *orchestré* » la publication d'articles sur lui durant le procès. PKP demande au juge de se récuser, en l'accusant de partialité, de manque de sérénité, de « *véhémence* ». La Cour d'appel ordonnera la récusation du juge Claude Larouche. Une

entente à l'amiable est conclue entre les deux parties, le 9 mai 2011. Sylvain Lafrance ne s'excusera
pas, mais affirmera qu'il est « *désolé si ses propos
ont offensé M. Péladeau et sa famille* ». Radio-
Canada tirera une nouvelle salve contre Quebecor
avec la diffusion, le 3 novembre 2011, d'un reportage de l'émission *Enquête* sur l'empire Quebecor.
Cinq mois plus tard, le 11 mars 2012, Radio-
Canada et Quebecor enterreront la hache de
guerre. Radio-Canada recommencera à acheter de
la publicité dans les journaux et sur les sites Web
de Quebecor Média.

Les deux sociétés conviendront également de
renouveler les ententes en vertu desquelles
Vidéotron, filiale de Quebecor, assure la distribution des chaînes spécialisées de Radio-Canada, soit
ARTV, RDI et la nouvelle chaîne Explora. De plus,
certaines émissions de la télé de Radio-Canada
seront offertes en vidéo sur demande par
Vidéotron. Enfin, Sélect, une filiale de Quebecor
Média, distribuera des produits de Radio-Canada,
comme des DVD. Au même moment, les attaques
contre la CBC/Radio-Canada dans les médias de
Quebecor se feront plus rares.

En fait, Quebecor avait atteint son objectif principal. Les tirs croisés des conservateurs et des
médias de Quebecor contre CBC/Radio-Canada ont
entraîné une diminution importante des subventions fédérales à la société d'État. Fragilisée, la
société d'État pouvait devenir un partenaire inté-
ressant pour Quebecor. C'est ainsi que Radio-
Canada et TVA seront amenés à signer des
ententes de partage de contenu pour les Jeux olym-

piques d'hiver de Sotchi et la Coupe du Monde de football du Brésil en 2014. Radio-Canada n'étant plus en mesure, comme autrefois, de payer les droits exclusifs faramineux exigés pour la diffusion de ces événements, elle n'avait d'autre choix que de s'associer à TVA.

De son côté, Quebecor, n'ayant pas les reins financiers assez solides pour assumer seul le coût de ces droits, avait tout intérêt à s'associer à Radio-Canada. Pour Quebecor, il ne faut pas trop appauvrir CBC/Radio-Canada et, surtout pas, comme le déclarait PKP dans la lettre ouverte citée au début de ce chapitre, « *tolérer que le succès de la télévision publique francophone subventionne la CBC, dont les cotes d'écoute sont faméliques* ». À cet égard, c'est PKP et Alain Saulnier, même combat !

« *L'information n'est pas une simple marchandise* », déclarait PKP dans sa lettre ouverte. Il aurait pu ajouter que c'est aussi et surtout une marchandise dont il compte tirer le plus grand profit personnel. S'il se porte aujourd'hui à la défense de Radio-Canada, ce n'est pas pour défendre le rôle ou l'importance d'une télévision publique, mais parce qu'il y voit un avantage profitable pour ses entreprises.

# CHAPITRE 5
# Des Canadiens aux Remparts

Les télé-distributeurs ont compris depuis longtemps que le sport est une véritable machine à imprimer de l'argent. Rogers Communication est propriétaire du Rogers Arena de Vancouver, lieu de résidence des Canucks de la Ligue nationale de hockey (LNH), et du futur Rogers Place où se produiront les Oilers d'Edmonton à l'automne 2016. Rogers détient également une participation majoritaire avec Bell dans Maple Leaf Sports & Entertainment Ltd (MLSE) – le plus gros conglomérat de sport et de divertissement au Canada et un des plus importants en Amérique du Nord – propriétaire des Maple Leafs de Toronto de la LNH, des Raptors de la National Basketball Association, et du Air Canada Centre où performent les deux équipes. L'entreprise est également propriétaire, entre autres, du Toronto FC de la Ligue majeure de soccer.

Aussi, lorsque George Gillett annonce en 2009 son intention de se départir du club de hockey Canadien de Montréal, Pierre Karl Péladeau flaire tout de suite la bonne affaire. « *Le Canadien, c'est une bonne idée. Quel potentiel pour la convergence !* », confie-t-il au magazine *Forces*. En effet, les matchs pourraient être diffusés au réseau TVA et sur les différentes plate-formes de

Quebecor. On imagine facilement les vedettes de Star Académie interprétant les hymnes nationaux avant les matchs de hockey.

PKP fait donc une offre en bonne et due forme, approuvée par la Caisse de dépôt et placement du Québec, coactionnaire de Quebecor Média. Les Productions Feeling, société de gestion appartenant à René Angélil, et le Fonds de solidarité de la FTQ appuient également l'offre.

Cependant, au mois de juin 2009, ce sont les frères Geoffrey, Andrew et Justin Molson qui raflent la mise, à la tête d'un groupe d'acheteurs qui comprend Bell, propriétaire du Réseau des sports (RDS), la société privée Woodbridge, Michael Andlauer d'ATS Andlauer Transport et Services, et propriétaire des Bulldogs de Hamilton, club école du Canadien, Luc Bertrand, ex-président de la Bourse de Montréal et... le Fonds de solidarité FTQ.

La transaction comprend 100 % du Centre Bell et 80,1 % du club de hockey Canadien et du Groupe spectacles Gillett, les 19,9 % restants ayant toujours appartenu à la brasserie Molson-Coors. Le Groupe spectacles Gillett sera éventuellement renommé evenko.

PKP réagit diplomatiquement à la vente en transmettant immédiatement ses « *vœux de succès aux frères Molson* », mais on raconte qu'il était furieux. Plus tard, il expliquera son échec en déclarant : « *On n'a pas eu accès à toute la documentation* ».

## Haro sur le Fonds de solidarité
## et le Parti Libéral

Le Fonds de solidarité, bien qu'il ait appuyé les deux offres d'achat sera, par la suite, victime du courroux de PKP. Dans un reportage de l'émission *Enquête* de Radio-Canada sur l'empire Québecor, le président de la FTQ et du Fonds de solidarité, Michel Arsenault, raconte qu'il a été accusé de « *trahison* » et que le nombre d'articles hostiles à l'égard de la FTQ a augmenté de façon substantielle dans les médias de Québecor, après cette transaction. Québecor a aussi refusé de diffuser la publicité du Fonds de solidarité sur le réseau TVA, à moins que celui-ci en achète également dans les pages du *Journal de Montréal*. Québecor savait pertinemment qu'il était impossible pour le Fonds syndical de s'afficher dans ce journal dont les employés étaient alors en lock-out.

PKP ne maîtrise pas non plus sa colère à l'égard du gouvernement du Québec. On rapporte qu'il ne voulait plus parler au Premier ministre Charest qu'il soupçonnait d'être intervenu en faveur des frères Molson. Comme mesure de rétorsion, il s'en prend au ministre des Finances Raymond Bachand et à son budget. Le fait que Bachand ait été p.d.-g. du Fonds de solidarité alimentait sans doute sa hargne. À l'été 2010, le *Journal de Montréal* lance une série d'articles sous le titre « *Le Québec dans le rouge* ». Le journal accuse le ministre Bachand de mentir à la population et le chroniqueur Jean-Jacques Samson va jusqu'à le qualifier de « *tenancier de bordel* ». Le ministre

Bachand est outré et contacte directement PKP pour se plaindre.

Un mois plus tard, le 13 juillet 2010, ô surprise, on retrouve Julie Snyder aux côtés du ministre de la Santé Yves Bolduc, en conférence de presse, pour annoncer que la RAMQ va couvrir la procréation assistée, un programme extrêmement dispendieux, pour l'instauration duquel militait la conjointe de PKP. Le président de la Fédération des médecins spécialistes du Québec, le docteur Gaétan Barrette, réagit promptement : « *De toute l'histoire de la Fédération, jamais un programme de santé publique de cet ordre-là n'a été mis en place de façon aussi rapide et bousculante pour l'organisation du réseau de la santé du Québec* ».

En faisant référence à la campagne menée tambour battant par Julie Snyder pour ce programme, le docteur Barrette déclare : « *Il n'a pas été demandé par la population, il résulte d'un lobby* ». Pas étonnant qu'une fois devenu ministre de la Santé, le docteur Barrette ait décidé de revoir ce programme, s'attirant des réactions courroucées de Julie Snyder et du député de St-Jérôme !

### L'affaire de l'amphithéâtre de Québec

Le prix de consolation que constituait le programme de procréation assistée n'était pas suffisant pour faire oublier l'échec de l'acquisition du Canadien. Le plat de résistance se trouvait à Québec. Le maire de Québec Régis Labeaume avait supplié PKP de cesser de bouder le Premier ministre Charest et de tenter plutôt de le convaincre de financer un nouveau Colisée dans la Vieille Capitale.

D'après le rapport du Commissaire au lobbyisme, qui a analysé les démarches entourant la transaction, c'est Québecor qui a initié les discussions qui ont mené au projet. Le 20 mai 2010, une rencontre avait lieu entre Jean Charest, Régis Labeaume et Pierre Karl Péladeau, où ce dernier présentait un plan d'affaires pour l'amphithéâtre. Une nouvelle rencontre a eu lieu le 17 septembre entre PKP et Labeaume à propos de l'attribution du contrat de gestion. PKP transmettra à Labeaume une première lettre d'entente, le 23 septembre.

Le chroniqueur Jean-Paul Gagné du journal *Les Affaires* aura vent des tractations en cours et publiera, le 8 septembre 2010, un article portant sur une possible entente entre la ville de Québec et Québécor pour la construction et la gestion d'un amphithéâtre, sous le titre « *Du pain et des jeux... sur le bras des contribuables* ».

Le 2 octobre 2010, c'est la Marche Bleue à Québec. Environ 75 000 personnes, selon les estimations du maire Labeaume, se rassemblent sur les plaines d'Abraham pour réclamer la construction d'un amphithéâtre, condition essentielle pour le retour d'une franchise de la LNH à Québec. PKP y est applaudi comme un héros. Bien entendu, l'amphithéâtre serait également disponible pour des spectacles. Tout comme Bell et Rogers ont leurs amphithéâtres à Montréal, Toronto, Vancouver et Edmonton, Québécor aura le sien à Québec.

Au début 2011, le maire de Québec et le Premier ministre Charest se réunissent pour travailler sur le plan financier du projet d'amphithéâtre. Le 27 février, soit le lendemain de la fin du lock-out au *Journal de Montréal,* une rencontre secrète est organisée entre Labeaume et PKP pour finaliser une entente de dix pages seulement qui comprend deux scénarios. Le premier prévoit une franchise de la LNH, l'autre son absence. La Ville de Québec promet d'investir 187 millions $ dans la construction de l'édifice, et le gouvernement du Québec s'engage pour 200 millions $. Sans qu'il y ait appel d'offres, Québecor se voit confier la gestion de l'amphithéâtre. En échange de 63,5 millions $, Québecor obtient l'autorisation d'y apposer son nom, ou celui d'une de ses filiales. S'il n'y a pas d'équipe de hockey, le montant est réduit à 33 millions $.

C'est un véritable cadeau ! Dans une entrevue reproduite dans le reportage de l'émission *Enquête,* PKP justifie le tout ainsi : « *Québecor est détenu à 45 % par la Caisse de dépôt, c'est-à-dire par tous les Québécois. Travailler pour Québecor, c'est travailler pour le Québec tout entier* ! » C'est l'adaptation à l'échelle du Québec d'une célèbre déclaration : « *Ce qui est bon pour General Motors est bon pour les États-Unis* », prononcée en 1953, par son p.d.-g., Charles Erwin Wilson.

L'entente sera contestée par Denis de Belleval, ancien directeur de la ville de Québec et ancien ministre de la Fonction publique dans le cabinet de René Lévesque, qui la juge illégale à plusieurs titres. « *Il n'y a pas eu de soumission publique en bonne et due forme. Il n'y a pas eu de cahier de charges* », s'indigne-t-il tout en soutenant que les aspects financiers du contrat de 25 ans sont tout à l'avantage de Québecor et au détriment de la ville de Québec.

Selon Denis de Belleval, l'entente constitue une subvention indirecte de plus de 40 millions $ à l'entreprise de Pierre Karl Péladeau. « *C'est bien évident qu'il y a une apparence de conflit d'intérêts. Le maire, politiquement, a un intérêt absolument important à signer ce contrat et à procéder avec M. Péladeau. Politiquement, n'importe qui voit qu'il y a un intérêt. Alors, il est en position de faiblesse vis-à-vis de M. Péladeau* », soutient-il.

Sentant que l'entente pourrait être contestée devant les tribunaux, le maire Labeaume déclare, en conférence de presse, le 16 mai 2011 : « *La Ville de Québec demande à l'Assemblée nationale du Québec d'adopter un projet de loi d'intérêt privé visant à tuer dans l'œuf toute éventuelle contestation judiciaire du projet d'amphithéâtre multifonctionnel* ».

La députée péquiste de Taschereau, Agnès Maltais, s'empresse de répondre aux desiderata du maire. Le 26 mai 2011, elle dépose à l'Assemblée nationale le projet de loi privée n° 204, intitulé *Loi concernant le projet d'Amphithéâtre multifonctionnel de la Ville de Québec*. Ce projet de loi stipule que : « *Malgré toute disposition inconciliable, la ville de Québec peut conclure tout contrat découlant de la proposition faite par Quebecor Média Inc ...* », mettant ainsi l'entente à l'abri des poursuites.

Denis de Belleval contestera l'entente et la constitutionnalité de la loi 204 devant les tribunaux, mais la Cour supérieure conclura que la loi spéciale votée par l'Assemblée nationale, pour proclamer la légalité du contrat, ne contrevenait pas à la Constitution canadienne.

## L'achat des Remparts

Le projet de l'amphithéâtre a été vendu aux résidents de la Ville de Québec sur la base de la venue d'une équipe de hockey de la LNH. Pas d'équipe sans la construction d'un nouvel aréna, laissait-on entendre du côté des autorités de la LNH. Mais, aujourd'hui, on se rend compte que, malgré l'intense lobbying déployé par Québecor et la Ville de Québec, il n'y a pas de franchise de la LNH à l'horizon.

Si une telle franchise était obtenue, Denis de Belleval a mis en lumière que les termes du contrat liant la ville de Québec et Québecor n'empêcheraient pas la répétition de l'expérience malheureuse des Nordiques. En effet, aucune disposition de l'entente n'assure que Québecor conservera sa franchise éventuelle de la LNH pendant toute la durée de son contrat de gestion ou pendant un minimum d'années, une exigence qui s'imposait, selon lui, d'autant plus que c'est grâce à des fonds publics que Québecor pourra se positionner pour obtenir une franchise de la LNH. Non seulement Québecor pourra disposer de sa franchise à sa guise et à sa seule discrétion, mais il n'est imposé à l'entreprise aucune obligation d'offrir cette franchise en priorité à des intérêts québécois avant qu'elle ne soit offerte à des intérêts étrangers.

Faute de pouvoir obtenir une franchise de la LNH, PKP s'est rabattu sur les Remparts, une équipe de la LHJMQ. Le 27 novembre 2014, l'équipe, dont un des actionnaires était André Desmarais de Power Corporation, passait aux mains de Québecor. Les Remparts débuteront la saison 2015-2016 dans le nouvel amphithéâtre au mois de septembre prochain. TVA Sports diffusera les matchs de l'équipe lorsqu'ils se dérouleront dans l'amphithéâtre. Même si la franchise est très rentable, les propriétaires n'avaient pas vraiment d'autre choix que de vendre l'équipe à Québecor, car l'entente de l'amphithéâtre stipule que Québecor ne s'engage qu'à ne déployer que « *les meilleurs efforts commerciaux pour conclure un bail avec les Remparts.... dans le respect des droits du groupe Quebecor* ».

Usant de l'influence de ses médias, Pierre Karl Péladeau a fait du maire Labeaume son pantin et a réussi à obtenir du gouvernement Charest 200 millions $ pour la construction de l'amphithéâtre de Québec, malgré l'opposition de la majorité de la population du Québec, d'après les sondages. Quant au ministre Bachand, il en a été réduit à effectivement jouer le rôle de « *tenancier de bordel* » que lui avait assigné le chroniqueur de Québecor.

Mais c'est au Parti Québécois que se fera sentir l'impact le plus considérable des manœuvres de PKP, précipitant le parti dans une crise qui aurait pu provoquer une scission majeure, voire même son éclatement.

# CHAPITRE 6
# La carte François Legault

À la surprise générale, la modernisation de la loi anti-briseurs de grève est absente de la plate-forme électorale du Parti Québécois, présentée au Conseil national du 8 mars 2014, pour l'élection du 7 avril, alors que, dans la plate-forme de l'élection précédente, se trouvait l'engagement « *à interdire le recours aux services et produits du travail provenant de l'extérieur d'un établissement qui est en grève ou lock-out* ». Le lendemain 9 mars, l'explication de cet abandon éclate au grand jour. Poing en l'air, Pierre Karl Péladeau annonce sa candidature au poste de député de la circonscription de Saint-Jérôme pour le Parti Québécois.

La question de la loi anti-briseurs de grève est importante en soi, mais elle sert aussi de révélateur des relations entre le Parti Québécois et PKP et, par le fait même, des relations entre la gauche et la droite au sein du Parti Québécois.

Après les décisions de la Cour supérieure et de la Cour d'Appel invalidant celle de la Commission des relations de travail à propos de la clause anti-briseurs de grève du Code du travail, à la suite du conflit au *Journal de Québec,* la seule manière de contrer le recours à des travailleurs extérieurs dans un conflit, comme dans le cas du lock-out au *Journal de Montréal,* était de transporter le débat au plan législatif. C'est ainsi que, le 22 septembre

2010, l'Assemblée nationale adopte à l'unanimité la motion suivante :

« *C'est dans la perspective d'avoir un Code du travail qui reflète les nouvelles réalités du monde du travail, que l'Assemblée nationale demande au gouvernement du Québec d'étudier la possibilité de moderniser le Code du travail, particulièrement en ce qui concerne les dispositions anti-briseurs de grève, afin notamment de tenir compte de l'impact des nouvelles technologies.* »

Le 3 décembre 2010, le député péquiste de Beauharnois Guy Leclair, siégeant dans l'opposition, présente le projet de loi n° 399, intitulé *Loi modernisant les dispositions relatives aux briseurs de grève et modifiant de nouveau le Code du travail.* Ce projet de loi vise à interdire le recours à des briseurs de grève dans des cas qui ne sont pas couverts par le Code du travail.

Le 8 décembre 2010, dans le contexte du conflit de travail au *Journal de Montréal,* et pour répondre aux pétitions déposées à l'Assemblée nationale à ce sujet, la Commission de l'économie et du travail s'est saisie d'un mandat d'initiative portant sur la modernisation des dispositions anti-briseurs de grève prévues au Code du travail. La Commission a alors choisi d'entendre, dans le cadre de consultations particulières, des représentants syndicaux et patronaux ainsi que des témoins experts. Les auditions ont lieu les 1er et 2 février 2011.

Au cours des travaux de la Commission parlementaire, Pierre Karl Péladeau récuse toute responsabilité dans le déclenchement du conflit au *Journal de Montréal* et en attribue la responsabilité à « *la position intransigeante du syndicat devant les transformations rendues nécessaires par l'évolution des technologies de l'information* ». Puis il contre-attaque, en soutenant que le rapport de forces serait, contrairement au dire des représentants du mouvement syndical et de leurs alliés, défavorable au patronat au Québec, à cause des dispositions du Code du travail et de certaines autres dispositions fiscales.

Selon lui, la durée du conflit au *Journal de Montréal* s'expliquerait, en grande partie, par « *le fait que les cotisations syndicales soient déductibles d'impôt, alors que les prestations de grèves versées aux syndiqués ne sont pas imposables* ». « *Alors,* enchaîne-t-il, *si l'objectif de la commission est bel et bien de rétablir l'équilibre entre les parties et de réduire la durée des conflits, elle devrait notamment se pencher sur cette question qui démontre à quel point le rapport de forces ne se trouve pas chez l'employeur.* »

Il affirme que, « *si on veut assurer l'avenir et la prospérité du Québec, il faut mettre en place les conditions qui garantiront sa compétitivité et lui permettront de relever les défis économiques et démographiques urgents auxquels il fait face. Pour ce faire, il faut mettre fin au déséquilibre législatif qui favorise les syndicats, et rétablir l'équilibre entre les parties* ».

Comme les représentants du patronat qui se sont fait entendre à cette commission parlementaire, il soutient qu'il faut considérer l'ensemble du Code du travail et non seulement l'article sur les briseurs de grève. « *J'ose espérer que, si nous devions revoir le Code du travail, nous le ferons dans une perspective sur l'ensemble de l'économie du Code du travail. Parce que s'arrêter à une seule et unique disposition m'apparaît tout à fait inapproprié dans les circonstances.* »

Après avoir rappelé qu'il avait eu, au cours de sa carrière, à négocier des conventions collectives ailleurs dans le monde, il soutient que « *c'est au Québec que c'est le pire* ».

« *Si on faisait un peu de droit comparatif (...), nous savons fort bien que, dans un univers nord-américain, peut-être même, je dirais, occidental, les dispositions ou l'économie générale du Code du travail sont plutôt, et je dirais même, très favorables aux organisations syndicales. Donc, s'il devait y avoir un déséquilibre, peut-être que ça aussi, c'est la question qu'on doit se poser : Est-ce que ce sont des dispositions semblables qui ne font pas en sorte également que les conflits de travail perdurent ou durent trop longtemps ?* »

Invité à donner plus spécifiquement son appréciation du projet de loi déposé par Guy Leclair, PKP reprend le refrain traditionnel du patronat en disant que cela va provoquer des fermetures d'usines et faire fuir les capitaux.

« *Honnêtement, je pense que ça va pénaliser le Québec. Ça va faire en sorte d'effrayer les entreprises qui vont avoir de plus en plus de difficultés à pouvoir s'installer ici. Ça va probablement également précipiter la fermeture de nombreuses d'entre elles. Je ne veux pas être pessimiste, mais je suis inquiet, très inquiet, effectivement.* »

Mais le député péquiste de Verchères, Stéphane Bergeron, remet les pendules à l'heure, en soulignant l'impact plutôt positif de la loi anti-briseurs de grève, depuis son adoption en 1977, sur les relations patronales-ouvrières au Québec.

*« Vous sembliez y voir un élément un peu négatif, disant que nous étions un peu uniques dans le monde occidental à avoir des dispositions semblables. Bien, il semblerait que ça n'a pas eu des incidences des plus négatives, bien au contraire, puisqu'il y avait une tendance croissante du nombre moyen de jours de grève perdus par année jusqu'à l'adoption des dispositions en 1977. Et, après ça, on a vu le nombre moyen de jours perdus par année pour grève et lock-out chuter de façon dramatique par la suite. »*

Stéphane Bergeron cible directement l'entreprise de PKP en soulignant que, si les dispositions de cette loi *« semblent occasionner un problème au niveau de secteur privé, il semble que ça occasionne un problème particulier du côté de Québecor ».* La Commission lui donnera raison en révélant que les données relatives aux conflits de travail impliquant un lock-out, avec ou sans présence de grève, montrent que 38,9 % des jours-personnes perdus dans le secteur privé au Québec au cours des dix dernières années l'ont été dans des entreprises qui font partie du groupe Québecor.

La Commission de l'économie et du travail termine ses travaux avec cette recommandation :

*« Que le ministère du Travail revoie la notion d'établissement ainsi que la notion d'employeur prévue dans le Code du travail pour tenir compte de l'évolution des réalités économiques et technologiques, et ce, afin d'établir un juste équilibre du rap-*

# Les 14 lock-out

1) Vidéotron Télécom, 112 travailleurs, du 30 avril au 16 juillet 2002 (78 jours)

2) Vidéotron Montréal, 1800 travailleurs, du 8 mai 2002 au 2 mai 2003 (360 jours)

3) Vidéotron Québec, 313 travailleurs, du 8 mai 2002 au 2 mai 2003 (360 jours)

4) Groupe TVA Montréal, 7 travailleurs, du 3 au 9 juillet 2003 (7 jours)

5) Groupe TVA Estrie, 6 travailleurs, du 30 janvier au 5 avril 2004 (67 jours)

6) *Journal de Montréal* (Vendeurs), 44 travailleurs, du 9 février au 15 mars 2004 (36 jours)

7) *Journal de Montréal* (Pressiers), plus de 100 travailleurs, du 22 octobre 2006 au 12 février 2007 (114 jours)

8) *Journal de Québec* (Bureau), 68 travailleurs, du 22 avril 2007 au 2 juillet 2008 (473 jours)

9) *Journal de Québec* (Rédaction), 69 travailleurs, du 22 avril 2007 au 2 juillet 2008 (473 jours)

10) *Le Réveil*, 80 travailleurs, du 4 mars 2009 au 15 février 2010 (347 jours)

11) *Journal de Montréal*, 253 travailleurs, du 24 janvier 2009 au 26 février 2011 (764 jours)

12) *Journal de Montréal* (préparation), 150 travailleurs, du 19 septembre 1993 au 6 février 1994 (140 jours)

13) *Journal de Montréal* (pressiers), 148 travailleurs, du 11 octobre 1993 au 8 mars 1994 (148 jours)

14) *Journal de Montréal* (encarteurs, expédition, deux accréditations), 210 travailleurs, du 11 octobre 1993 au 17 mars 1994 (110,5 jours)

Pendant les dix dernières années de la vie du fondateur de Quebecor, soit de 1987 à 1997, trois lock-out ont eu lieu. Ils sont tous survenus au *Journal de Montréal* en 1993-1994. Qui menait les négociations patronales au *Journal de Montréal* à cette époque ? Pierre Karl Péladeau.

*port de forces entre les parties négociantes lors d'un
conflit de travail.* »

Cette décision n'avait rien pour plaire à PKP et
nul doute qu'il n'a pas apprécié l'initiative du Parti
Québécois et les interventions de ses députés en
faveur d'une modernisation de la loi anti-briseurs
de grève. D'autant plus que, si on se fie au relevé de
ses contributions aux partis politiques québécois, il
avait choisi l'année 2010 pour abandonner le Parti
Libéral au profit du Parti Québécois. En effet, le
fichier du Directeur général des élections nous
apprend qu'il a donné le montant maximum permis
par la loi de 3 000 $ au Parti Québécois en 2010,
alors qu'il avait contribué, au cours des années précédentes, au Parti Libéral (soit 1 000 $ en 2005 ;
1 000 $ en 2007 ; 3 000 $ en 2008).

## Le projet politique de François Legault

Mais les contributions aux partis politiques ne
représentent qu'une infime partie de l'influence
que PKP peut exercer sur la vie politique québécoise. Ainsi, au cours de la période pendant laquelle
l'Assemblée nationale, à l'instigation du Parti
Québécois, débat des modifications à apporter à la
loi anti-briseurs de grève, les médias de Québecor
font activement campagne pour François Legault
et son projet de parti politique.

Rappelons que François Legault a démissionné
du Parti Québécois le 24 juin 2009. Ses motiva-
tions sont alors vagues. Il semble désespérer de
l'apathie générale face à l'avenir politique et économique du Québec, à l'inefficacité des réseaux

de la santé et de l'éducation et à la crise des finances publiques.

Selon Gilles Toupin (*Le Mirage François Legault – VLB Éditeur*), d'autres facteurs plus probants expliqueraient son départ de la vie politique. Il aurait confié à des collaborateurs avoir perdu de l'argent dans la crise économique de 2008 et vouloir se refaire dans le privé. Son comportement étrange dans le dossier des Fonds d'intervention économique régionale (FIER) est aussi évoqué.

Porte-parole du Parti Québécois en matière de finances publiques, Legault avait découvert que certains dirigeants des FIER avaient investi de l'argent de ces fonds dans leurs propres entreprises et il étalait sur la place publique des pratiques fort douteuses. Mais, du jour au lendemain, il ne voulut plus poursuivre ses charges à fond de train contre le gouvernement dans cette affaire.

Au moment où Legault amorçait le virage qui allait conduire à sa démission, l'aile parlementaire du Parti Québécois découvre que la personne qui a, au Québec, le plus d'intérêts dans les FIER est Charles Sirois, qui sera, plus tard, le cofondateur de la CAQ !

Tout était prêt au Parti Québécois pour lancer la frappe contre Sirois mais, nous apprend Gilles Toupin, « *François Legault dit non ; il refuse de faire le travail. Il s'abstient complètement. Pour s'en justifier, il se lève au caucus et annonce aux autres députés qu'il ne veut plus " salir des réputations " – lui qui jugeait encore quelques jours plus tôt qu'il était pleinement justifié de dénoncer les abus commis par ceux qui avaient utilisé les FIER à mauvais escient* ».

Quoiqu'il en soit, à l'époque, la démission de Legault laisse croire à un abandon du monde de la politique pour un retour au monde des affaires. Mais le chroniqueur Alec Castonguay révèlera dans le magazine *L'Actualité* (mai 2012) qu'immédiatement après sa démission, le 24 juin 2009, alors que François Legault effectuait le trajet Québec-Montréal, l'ancien Premier ministre Lucien Bouchard lui téléphonait pour l'inciter à « *réfléchir à son avenir politique* ».

Cette invitation à la « *réflexion* » l'amène à abandonner l'indépendance du Québec pour les « *vraies affaires* », et, deux ans plus tard, le 20 septembre 2011, dans une entrevue accordée à la journaliste Martine Biron, dans le cadre d'un reportage intitulé « *L'Ambition de François Legault* », à exprimer sa frustration de ne pas avoir pu croiser le fer avec les syndicats du secteur public lorsqu'il était ministre péquiste.

« *Je n'ai pas pu aller aussi loin,* déclare-t-il, lorsqu'invité à préciser les raisons de son départ de la politique, *que de dire : on va rouvrir les conventions collectives pour vraiment changer la façon dont les réseaux publics sont gérés au Québec. Pour moi, c'est un peu un échec, effectivement, que, pendant mes dix années en politique, je n'ai pas réussi à aller aussi loin que j'aurais souhaité.* » Cet antisyndicalisme s'est concrétisé plus tard dans le programme électoral de la CAQ.

## Quand Québecor fait la promotion de Legault

Mais, revenons à l'automne 2010. Deux semaines après l'adoption à l'unanimité par

l'Assemblée nationale d'une demande au gouvernement du Québec d'étudier la possibilité de moderniser le Code du travail, particulièrement en ce qui
concerne les dispositions anti-briseurs de grève,
soit le jeudi, 7 octobre 2010, le *Journal de Montréal*
annonce en page 5 que « *Force Québec prend forme.
Un nouveau parti, mené par François Legault, est
sur le point de voir le jour* ».

Le lendemain, vendredi 8 octobre, nous avons
droit à la photo de François Legault en première

page du journal coiffé du titre « *Legault promet de l'action* ». Dans une entrevue, qui occupe toute la page 7, on apprend que « *Legault veut " aboutir" d'ici quelques mois. Je suis plus un gars d'action qu'un gérant d'estrade* ».

Quatre jours plus tard, le mardi 12 octobre, à nouveau une belle grande photo de Legault en page frontispice avec le titre : « *Legault séduit les Québécois* » et, en prime, un sondage Léger Marketing dans lequel on découvre qu'« *Un nou-*

*veau parti récolterait la majorité des intentions de vote* ». À l'intérieur du journal, deux pleines pages avec les résultats du sondage sous le titre : « *Legault a frappé dans le mille. Le projet d'une formation de centre-droit séduit les Québécois* ». À la question : « *Considérant le contexte politique actuel au Québec, est-ce que, selon vous, le Québec a besoin d'une nouvelle formation politique au niveau provincial ?* » La réponse est OUI à 61 %.

Selon Léger Marketing, ce nouveau parti recueillerait 30 % des intentions de votes. La répartition des votes pour les autres partis montre que le nouveau parti ferait surtout des gains auprès de l'électorat péquiste. PQ : 27 % (-12 %) ; PLQ : 25 % (-4%) ; ADQ : 7% (-5 %) ; QS : 6 % (-2 %) ; Parti Vert 4 % (-2 %) ; Autre : 1 % (-5 %). Le titre d'un autre article confirme la dégringolade péquiste au profit de l'éventuel nouveau parti : « *Plusieurs péquistes ne carburent plus à la souveraineté* ». Rappelons, au passage, que Jean-Marc Léger siège au conseil d'administration de Québecor.

Le lendemain, mercredi 13 octobre, on en remet. Grande photo de Legault en page 11 du *Journal de Montréal* avec le titre : « *Sondage. Le message est clair* ». Plus loin, en page 27, Jean-Marc Léger commente : « *La Troisième Voie. Quelques jours après le lancement de son projet de mouvement politique, François Legault reçoit déjà l'appui de 30 % de l'électorat. C'est du jamais vu depuis la création du Bloc Québécois par Lucien Bouchard en 1991, et de l'ADQ par Mario Dumont en 1994* ».

Un mois plus tard, le dimanche 21 novembre, on annonce, en page 7, la publication pour le lendemain des résultats d'un méga-sondage, « *unique en son genre* » avec plus de 3 000 répondants : « *Le Québec de mes rêves* ».

Chose promise, chose due. Le lundi, 22 novembre 2010, premiers résultats du sondage « *Le Québec de mes rêves* » : « *Le Québec est mal parti. 85 % des Québécois estiment qu'on va dans la mauvaise direction* » et « *Les Québécois rêvent d'être riches un jour...* ». Donc, les Québécois ne rêvent plus d'indépendance, mais d'être riches un jour ! Legault et les Québécois sont au diapason !

Deux jours plus tard, le mercredi 24 novembre, d'autres résultats du même sondage, mais, surtout, sous le titre « *Prêts à du changement* », une entrevue avec un simple chargé de cours à l'UQAM, promu au rang d'« *expert* » : Mathieu Bock-Côté ! « *Selon lui,* nous informe l'article, *seule une nouvelle proposition peut sauver le bateau et redonner confiance aux électeurs. (...) Un certain redressement est espéré. Il y a l'attente d'un nouveau leadership. (...) Les Québécois sont prêts à des réformes, ce que la classe politique n'a pas le courage de porter.* » Et, devinez qui incarnera bientôt ce « *courage* » ?!

Trois mois plus tard, le vendredi 18 février 2011, nouvelle photo grand format de Legault en page frontispice, affublée de ce gros titre : « *Remettre le Québec en marche* ». Un autre titre nous renvoie aux pages intérieures pour découvrir : « *Le manifeste de Legault en détails* ». En pages 2 et 3, c'est « *Le plan Legault dévoilé* » avec photo grand format de Legault accompagnée de photos de 7 membres de la direction de la CAQ, dont une, proéminente, de Charles Sirois.

Le lendemain, le samedi 19 février, on récidive. En pages 8 et 9, deux pleines pages avec le gros titre suivant sur deux pages : « *La Coalition se met en marche* ». En sous-titre, on présente Charles Sirois comme « *fondateur* » du mouvement, au même titre que François Legault.

Deux jours plus tard, le lundi 21 février, à nouveau une magnifique photo de Legault, en première page, avec les résultats d'un nouveau sondage Léger Marketing présentés sous le titre : « *Sondage. Les Québécois ouverts à un nouveau parti* ». Le titre principal est : « *Legault déjà favori (et il n'a encore rien dit...)* ». Les résultats font aussi la première page : « *Legault : 30 % ; PLQ : 24 % ; PQ : 24 % ; ADQ : 9 % ; QS : 8 %* ». L'analyse du sondage se trouve en pages 4 et 5. Une belle photo de Legault couvre la moitié de la page 5, accompagnée d'un titre en grosses lettres : « *Un vent de changement* ». Le sous-titre est : « *Les Québécois souhaitent du sang neuf, un nouveau parti politique et voteraient pour François Legault* ».

Le lendemain, le mardi 22 février, deux pleines pages, 8 et 9, sont consacrées à la CAQ. Une photo de Legault et Sirois occupe la moitié de la page 9. Le titre qui coiffe le tout : « *Un parti est envisagé* », avec comme sous-titre : « *François Legault laisse la porte ouverte jusqu'à la fin de 2011* ». Le lecteur a aussi droit à des photos des 12 signataires du manifeste. Plus loin, dans le journal, des articles de chroniqueurs favorables au nouveau parti occupent deux pages. Bien entendu, la caricature du jour porte sur Legault.

Le lendemain, le mercredi 23 février, on a enfin droit à un autre point de vue avec la riposte de

Gilles Duceppe (« *Duceppe reproche à Legault d'accepter le " pire " statu quo* »), et un article sur une colonne rapporte la réaction de Pauline Marois sous le titre : « *C'est grave !* »

Souvenons-nous que, au moment où ces articles sont publiés, se déroulent les tractations entourant la construction du nouvel amphithéâtre à Québec. Le fil des événements n'est pas sans intérêt.

Le 10 février 2011, Labeaume et Charest dévoilent un plan financier pour l'amphithéâtre.

Le 21 février, Legault annonce la formation de la Coalition Avenir Québec.

Le 26 février, le conflit prend fin au *Journal de Montréal.*

Le 27 février, rencontre secrète entre PKP et Labeaume pour finaliser l'entente sur l'amphithéâtre.

## CHAPITRE 7
## Crisc au Parti Québécois

L e 16 avril 2011, le Parti Québécois tient son congrès. Mme Marois triomphe avec un vote de confiance historique de 93,08 %. Le Parti adopte un nouveau programme mais, pour la première fois de son histoire, il ne contient aucune section relative aux droits des travailleuses et des travailleurs.

Deux semaines plus tard, le 2 mai, catastrophe électorale sur la scène fédérale. Le Bloc Québécois subit une cuisante défaite. Sa représentation est réduite à quatre députés. Gilles Duceppe est défait dans sa circonscription.

Un mois plus tard, la députée Agnès Maltais propose, avec l'accord de Pauline Marois, le projet de loi 204 pour sécuriser l'entente conclue entre Québecor et la ville de Québec. Le projet est contesté par une partie du caucus péquiste. Le 6 juin, Louise Beaudoin, Pierre Curzi et Lisette Lapointe remettent leur démission. Lisette Lapointe déclare : « *Le Parti Québécois que je quitte, c'est celui de l'autorité outrancière, d'une direction obsédée par le pouvoir. L'atmosphère est devenue irrespirable* ».

Le lendemain, 7 juin, c'est au tour de Jean-Martin Aussant de remettre sa démission. Il affirme que Mme Marois « *n'a pas assez de tirant d'eau pour mener le Québec à un référendum gagnant.* » Le 19 septembre 2011, il annoncera la création d'Option nationale.

Pauline Marois reconnaît avoir fait une erreur en donnant son accord au projet de loi 204 sans avoir consulté au préalable ses députés. « *J'admets que j'ai commis une erreur au départ. En quatre ans, c'est la première fois que je ne les consulte pas. Je ne croyais pas honnêtement que cela prendrait l'ampleur que cela a pris* ». Elle recule et permettra un vote libre sur le projet de loi 204. Lors de ce vote, tenu au mois de septembre, se prononceront contre le projet de loi 204 : Louise Beaudoin, Guy Leclair, Gilles Robert, Véronique Hivon, Bernard Drainville, Nicolas Girard, Sylvain Pagé, Claude Cousineau et Monique Richard. S'abstiendront de voter : Alexandre Cloutier, André Villeneuve, Stéphane Bergeron, Pascal Bérubé et Martine Ouellet.

Mais le Parti Québécois est également fragilisé par la création du parti de François Legault. La Coalition Avenir Québec est autorisée par le directeur général des élections le 4 novembre. Déjà, le 21 juin 2011, le député Benoit Charrette avait démissionné du Parti Québécois pour siéger comme indépendant. Le 24 novembre, Daniel Ratthé est exclus du PQ en raison de rumeurs voulant qu'il se joigne à la CAQ. Le 19 décembre, les députés indépendants Daniel Ratthé, Benoit Charrette, Éric Caire et Marc Picard (ex-ADQ) annoncent leur ralliement à la CAQ. Le 9 janvier 2012, c'est au tour de François Rebello de démissionner du Parti Québécois pour siéger comme indépendant, tout en annonçant son intention d'adhérer à la CAQ. Le

21 janvier 2012, les membres de l'ADQ votent à 70,5 % pour la fusion avec la CAQ.

## Québecor, la CAQ et la tourmente au Parti Québécois

Au cours de cette période agitée, les médias de Québecor participent activement à la tourmente, en continuant à faire la promotion de François Legault, comme en fait foi cette recension des titres du *Journal de Montréal*.

Le vendredi 24 juin 2011, la CAQ occupe toute la page 7 du journal avec, accompagnant la photo de Legault, ce titre : « *Legault fait de l'œil* » et ce sous-titre : « *Péquistes, bloquistes, libéraux et adéquistes tombent sous le charme du futur parti* ».

Le mardi 15 novembre, une photo de Legault occupe la moitié de la page 5 avec, comme titre en gros caractères : « *La CAQ prend son envol* ». Le sous-titre se lit ainsi : « *François Legault propose la nomination d'un commissaire à l'intégrité de la vie publique* ». En page 21, Jean-Marc Léger confirme cet « *envol* » avec le résultat d'un nouveau sondage. À la question : « *Croyez-vous que François Legault fera un bon chef de parti ?* », la réponse est Oui à 52 %. Le sondeur rappelle aux lecteurs la progression des intentions de vote pour la CAQ : « *Février 25 % ; mars 34 % ; juin : 33 % ; août : 31 % ; septembre : 34 % ; octobre 36 %* ». Dans les deux pages suivantes, on trouve deux caricatures sympathiques sur le logo de la CAQ, qui vient d'être dévoilé, et la chronique de Benoit Aubin, coiffée du titre : « *L'avantage de François Legault* ».

LE JOURNAL DE MONTRÉAL | **NOUVELLES** | MARDI 15 NOVEMBRE 2011    **5**

## POLITIQUE    QUÉBEC

# La CAQ prend son envol

■ François Legault propose la nomination d'un commissaire à l'intégrité de la vie publique

La Coalition avenir Québec (CAQ) prend son envol. En pleine opération séduction en vue d'un mariage avec l'Action démocratique du Québec (ADQ), François Legault ne ferme pas totalement la porte au privé en santé.

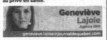

**Geneviève Lajoie**
Agence QMI
genevieve.lajoie@journaldequebec.com

« La CAQ décolle officiellement comme nouveau parti politique », a scandé hier François Legault à Québec, faisant un parallèle avec le premier vol d'Air Transat, une entreprise qu'il a en partie fondée, il y a 24 ans jour pour jour.

Pour répondre au « ras-le-bol » des Québécois face à la corruption qui gangrène l'industrie de la construction au Québec, l'ex-ministre péquiste propose d'emblée la nomination d'un commissaire à l'intégrité de la vie publique.

Relevant de l'Assemblée nationale, ce nouvel acteur « regrouperait, en les élargissant, les mandats actuellement dévolus au commissaire à l'éthique, au Commissaire au lobbyisme et à l'Unité permanente anti-corruption (UPAC) ».

**Privé en santé**

En pleines négociations en vue d'une fusion avec les adéquistes, les tenants de la mixité du système de santé, François Legault a marché sur des oeufs quand est venu le temps de se positionner sur ce principe fondamental.

« J'ai dit qu'actuellement, la priorité c'était de mettre de l'ordre dans le système public. Est-ce qu'il y aura des projets pilotes d'ici 10 années, on verra », a-t-il glissé. Il n'est d'ailleurs pas certain que le mariage soit consommé entre coalisés et adéquistes, si on se fie à François Legault. « On verra. Est-ce qu'on réussira à s'entendre sur les idées... ».

S'il n'a pas tenu à présenter un candidat dans le comté de Bonaventure, en vue de l'élection partielle dont le scrutin doit se tenir le 5 décembre prochain, le chef de la CAQ se dit tout de même « impatient » de pouvoir affronter face à face ses adversaires à l'Assemblée nationale.

Ancien souverainiste convaincu, François Legault pense que le Québec est rendu à un moment charnière, où doit être étudiée la question nationale.

**Éducation et santé**

Sentant le besoin pressant de revaloriser l'éducation et la profession d'enseignant, le chef « coalisé » propose notamment de hausser les salaires des professeurs de 20% et d'abolir les commissions scolaires.

Le fait que le quart des Québécois soient sans médecin de famille est inacceptable, plaide M. Legault. La solution à ce problème passe en outre par un changement substantiel du mode de rémunération des médecins de famille, en incitant notamment les omnipraticiens à prendre en charge plus de patients. Il prône également l'abolition des agences de santé.

Êtes-vous impressionné par les engagements du chef de la Coalition avenir Québec?

ÉCRIVEZ-NOUS : opinions@journalmtl.com

APPELEZ-NOUS : Tél. 514 521-677 Tél. 1 866 767-683

### CE QU'ELLES ONT DIT...

« [François Legault] manque de courage. [À l'époque], il voulait qu'on hausse les tarifs d'hydro-électricité. Comment ça se fait qu'aujourd'hui, il ait changé d'avis? »
— Pauline Marois, chef du Parti québécois

« Les moyens proposés sont un peu différents, mais M. Legault fait les mêmes belles promesses en santé et en éducation (que Jean Charest). »
— Françoise David, porte-parole de Québec solidaire

PHOTO AGENCE QMI, STEVENS LEBLANC

■ Le chef de la CAQ croit que le Québec est rendu à un moment charnière où doit être étudiée la question nationale.

## Pour Charest, la CAQ a accouché d'une souris

**JEAN-LUC LAVALLÉE**
Agence QMI

Le premier ministre Jean Charest n'a pas été impressionné par la prestation de François Legault, hier. Il juge que sa Coalition, devenue un parti officiel, vient d'accoucher d'une souris avec des propositions « plutôt minces ».

Il a rapidement tourné en ridicule le plan d'action de la Coalition Avenir Québec. Selon lui, après un an de réflexion et une tournée provinciale la CAQ se contente de livrer... un logo et un slogan : « on verra ».

« Avouons que c'est plutôt mince, a-t-il martelé. La somme totale de tout le travail fait par les caquistes se résume à un nouveau logo. J'imagine qu'ils doi-

vent en être très heureux. Et pour le thème "on verra", eh bien les Québécois auront l'occasion de se prononcer là-dessus. Peut-être qu'à leur tour, ils diront : "on verra" », a déclaré le chef libéral, sourire en coin.

**De la tarte aux pommes**

« C'est tellement mince ses propositions... Il y a beaucoup de tarte aux pommes là-dedans », a renchéri M. Charest, refusant toutefois de commenter une à une les idées défendues par la CAQ. « Moi je vois des idées qui ne sont pas ficelées, qui ne sont pas réfléchies », a-t-il ajouté.

JEAN CHAREST
Peu impressionné

Qu'a-t-il dit aux Québécois qui réclament du changement? « Encore faut-il savoir, c'est quoi le changement proposé par François Legault », a-t-il répondu du tac au tac.

Le PM a même suggéré que l'ex-péquiste ait un « agenda caché ». « Ce qu'il propose, c'est de la chicane. C'est ses mots à lui. C'est à se demander si la CAQ, ça ne veut pas dire Chicane Au Québec. On aura l'occasion d'en reparler », a-t-il laissé tomber avant de s'engouffrer dans une salle où l'attendaient des dizaines de partenaires du Plan Nord.

---

Le lendemain, nouveaux résultats de sondage en page 21. À la question : « *Que pensez-vous des idées présentées par la CAQ ?* », les réponses sont : « *Je n'y vois rien de nouveau : 43 % ; Elles sont ridicules : 19 % ; C'est ce dont le Québec a besoin : 38 %* ». Le lendemain, 16 novembre, Christian Dufour embarque dans le train en marche avec une chronique intitulée : « *Legault, l'espoir* ».

Trois semaines plus tard, le *Journal de Montréal* essaie d'enrôler Michael Sabia, le président de la Caisse de dépôt, dans le camp Legault. Le dimanche 4 décembre, un encadré en première page se lit comme suit : « *Caisse de dépôt : Appelez-le Michael* » et des articles en pages 8 et 9 nous présentent « *Le virage Québec sous l'ère Sabia* ».

Le lendemain, lundi 5 décembre, grande photo en première page de Michael Sabia et petite photo de Legault avec comme titre en caractères gras : « *Sabia séduit par des idées de Legault* ». Le sous-titre est : « *Le P.D.G. de la Caisse de dépôt s'avance en terrain politique* ». Des articles en pages 36 et 37 expliquent comment « *Les idées de Legault séduisent* » la Caisse.

Ces reportages méritent une explication. Au départ, Michael Sabia, qui a été p.d.-g. de Bell, n'a évidemment pas d'atomes crochus avec PKP. On se rappellera que PKP avait été tenu à l'écart de la rencontre organisée par la famille Desmarais, immédiatement après la nomination de Michael Sabia à la tête de la Caisse, pour l'introduire auprès des représentants du Québec Inc. Par le plus grand des hasards (!), un journaliste de Québecor était sur place pour rendre compte de l'événement.

Pierre Karl Péladeau ne peut se permettre des relations conflictuelles avec Michael Sabia, la Caisse détenant 25 % des actions de Québecor. Avec les reportages des 4 et 5 décembre, PKP rendait un précieux service à « *son ami Michael* » dans l'eau chaude par suite des révélations du journal *La Presse* sur l'unilinguisme anglais de certains des dirigeants de la Caisse. « *La langue de travail à la Caisse, c'est le français. C'est non-négociable. Ce n'est pas juste une obligation, c'est un engagement personnel* », déclarait Michael Sabia au journaliste de l'agence QMI qui rapportait que « *l'unilinguisme de deux cadres de la filiale immobilière, Ivanhoé Cambridge* » avait « *heurté* » le p.d-g.

Mais un service en attire un autre, a dû se dire PKP en présentant un Sabia « *séduit par les idées de Legault* » et prêt à « *s'avancer en terrain poli-tique* ». Le réseau TVA s'empressa de « *commenter* » la « *nouvelle* » du *Journal de Montréal* en poussant le bouchon encore un peu plus loin : « *La perspective d'un gouvernement caquiste avec François Legault comme capitaine ne semble pas effrayer Michael Sabia* ». Mais, de toute évidence, Michael Sabia n'a pas aimé être ainsi conscrit dans la campagne de promotion de François Legault et la Caisse a émis un communiqué niant « *catégoriquement vouloir s'immiscer dans le débat politique* ».

## Le leadership de Pauline Marois contesté

Au même moment, la crise s'intensifiait au Parti Québécois. Après le projet de loi 204 sur l'amphithéâtre, c'est le vote sur une motion concernant la loi anti-briseurs de grève qui revient hanter Mme Marois. Le 22 novembre, la veille de ce vote, le député Guy Leclair, promoteur du projet de loi, est exclu du caucus du Parti Québécois. Il est accusé d'être une « *taupe* » et d'être à la source de fuites à l'origine des problèmes de leadership de Mme Marois.

Pour sa défense, Guy Leclair affirme qu'il n'a jamais caché avoir discuté avec la journaliste Geneviève Lajoie, de l'Agence QMI, peu avant la parution d'un article qui rapportait qu'une dizaine de députés péquistes inquiets de perdre leur siège aux prochaines élections, exigeraient le départ de Mme Marois à court terme ou claqueraient la porte si elle refusait de s'en aller. Il précise toutefois qu'il n'est pas à l'origine de ces dernières informations. Il ne sera réintégré au caucus que le 1ᵉʳ décembre.

Au même moment, par le plus grand des hasards (!), coule dans les médias une information selon laquelle Guy Leclair avait reçu une citation à comparaître en février 2012 pour garde et contrôle d'un véhicule avec les facultés affaiblies, après avoir été arrêté par des policiers le mois précédent.

Au moment du vote sur le projet de loi anti-briseur de grève, le 23 novembre, Pauline Marois y voit subitement un « *déséquilibre* » en défaveur de la partie patronale. Le député Leclair ayant été écarté du caucus, c'est la députée indépendante Louise Beaudoin qui appelle le vote en commission parlementaire. Ce n'est qu'après avoir été sermonnés publiquement par les dirigeants de la FTQ, de la CSN et de la CSQ, que les députés du Parti Québécois rappliquent en catastrophe pour soutenir le projet de loi. Tous les chroniqueurs politiques, à l'époque, relient cette « *tiédeur* » péquiste à la cour assidue de Pauline Marois auprès de PKP.

Le 5 décembre 2011 se tient une élection partielle dans la circonscription de Bonaventure. Malgré un taux d'insatisfaction stratosphérique à l'endroit du gouvernement Charest et la présence continue au cours de la campagne électorale de Pauline Marois dans cette circonscription « *prenable* » par le Parti Québécois, le candidat libéral remporte l'élection avec près de 50 % des suffrages exprimés.

Avant la controverse à propos de l'amphithéâtre de Québec, le Parti Québécois dominait dans les sondages avec 34 % des intentions de vote. Un nouveau sondage, au mois de décembre 2011, confirme la descente aux enfers du Parti, sous la gouverne de Mme Marois. À peine 18 % de l'électorat accorde sa confiance au Parti Québécois. La cote de popularité personnelle de Mme Marois tombe à 11 %. La CAQ trône avec 39 % des intentions de vote. Elle raflerait 100 circonscriptions. Les libéraux conservant les circonscriptions avec un fort pourcentage de non-francophones, « *le Parti Québécois serait laminé* », selon la Maison CROP.

Mais un autre sondage, réalisé le mois précédent, révélait qu'un Parti Québécois, dirigé par Gilles Duceppe, obtiendrait 36 % des intentions de vote.

Au retour du congé des Fêtes, les porte-parole du SPQ Libre se font l'écho du mécontentement généralisé au sein du Parti Québécois en affirmant que le parti ne va nulle part avec Mme Marois. Différentes sources témoignent d'un caucus extrêmement divisé à la veille d'un important Conseil national les 27, 28 et 29 janvier. Marc Laviolette accorde alors une entrevue au journaliste Denis Lessard de *La Presse* dans laquelle il déclare : « *Je refuse de jouer dans l'orchestre sur le pont du Titanic. Depuis la crise de l'aréna de Québec, avec l'arrivée de la CAQ, le PQ finit troisième, même si cela bouge dans les sondages, c'est dans la marge d'erreur, ce n'est pas vrai que cela sent la coupe. Ça va mal au PQ. Il faut un changement de cap radical. M. Duceppe est l'homme de la situation, c'est un souverainiste convaincu* ». Au même moment, Gilles Duceppe déclare qu'il est « *disponible si le poste se libère* ». C'est la crise.

Mais, le samedi 21 janvier, coup de théâtre ! *La Presse* titre en manchette : « *Fonds publics : Duceppe dans l'embarras* ». Selon les journalistes Joël-Denis Bellavance et Hugo De Grandpré, il aurait violé les règles de la Chambre des communes en versant le salaire du directeur général de son parti, Gilbert Gardner, pendant sept ans, à même le budget accordé par la Chambre des communes pour le fonctionnement de son cabinet à Ottawa. On l'accuse également d'avoir fait rémunérer par son bureau Marie-France Charbonneau, conjointe de son ex-chef de cabinet, François Leblanc, à titre de conseillère, alors qu'elle poursuivait des études de maîtrise et qu'elle écrivait un livre sur les 20 ans d'existence du Bloc Québécois avec le professeur Guy Lachapelle, de l'Université Concordia. Les partis fédéraux s'en donnent à cœur joie. Le libéral Marc Garneau trace un parallèle avec le scandale des commandites. Le conservateur Maxime Bernier parle d'un détournement de fonds « *odieux* ». Le député néo-démocrate Joe Comartin laisse entendre que Gilles Duceppe pourrait avoir à rembourser personnellement une somme pouvant s'élever jusqu'à un million de dollars !

Le lendemain, Gilles Duceppe émet un communiqué dans lequel il déclare qu'il ne peut, dans ces conditions, envisager un retour en politique et qu'il entend se « *consacrer entièrement à défendre son intégrité et à rétablir sa réputation* ». Il s'agit bel et bien d'un assassinat politique.

Quelques mois plus tard, le Bureau de régie interne de la Chambre des communes blanchira, après enquête, Duceppe des accusations d'avoir transgressé les règles régissant l'usage de son budget parlementaire. Mais l'objectif était atteint : écarter Gilles Duceppe de la direction du Parti Québécois.

## Marois vire à gauche, Legault s'ancre à droite

Les médias célèbrent la « *résilience* » de Mme Marois et la qualifie de « *dame de béton* ». À l'ouverture du Conseil national des 27, 28 et 29 janvier 2012, on s'attend à ce qu'elle fustige ses opposants au sein du parti. Mais, surprise !, elle salue, dans son discours d'ouverture, des travailleurs en grève, une première depuis son accession à la direction du Parti. Elle renvoie dos à dos Charest et Legault à propos des droits de scolarité, des commissions scolaires, du gaz de schiste. Elle cible Stephen Harper, une autre première. Manifestement, un tournant vient d'être pris.

Le tournant se concrétisera par un virage à 180 degrés lors du Conseil national suivant, où sera adoptée la plate-forme électorale. À cette occasion, le Parti Québécois exprime un appui sans équivoque à la lutte du mouvement étudiant. Dans cette plate-forme, on retrouve plusieurs des causes défendues par le SPQ Libre et la gauche au sein du Parti, au cours des années précédentes. Mentionnons l'électrification du transport, la nationalisation de l'éolien, l'application des dispositions de la Loi 101 aux cégeps, le référendum d'initiative populaire sur la souveraineté et... la modernisation de la loi anti-briseurs de grève.

Au même moment, c'est « *À droite, toute !* » avec Legault. Le 6 février, il annonce qu'il rouvrira les conventions collectives des enseignants et des médecins et qu'il abolira les commissions scolaires. Une semaine plus tard, le 14 février, la fusion entre l'ADQ et la CAQ entre en vigueur. Le programme de la CAQ promet de modifier le Code du travail « *afin de rendre obligatoire le recours au vote à scrutin secret pour l'accréditation syndicale des travailleurs* ».

Le 13 février débute la grève étudiante.

Le 25 mars, la ville de Québec et Québecor annoncent une entente finale pour la construction d'un amphithéâtre de 18 000 places au coût de 400 millions $. Le 3 septembre, des milliers de personnes participent à la première pelletée de terre de la construction du nouvel amphithéâtre. Jean Charest et Pauline Marois sont présents.

Le lendemain, 4 septembre 2012, un gouvernement minoritaire péquiste est élu. Le Parti Québécois fait élire 54 députés avec 31,95 % des voix. Les libéraux suivent de près avec 50 députés élus et 31,2 % des voix. La CAQ envoie à l'Assemblée nationale 19 députés en recueillant 27,05 % des suffrages. Québec solidaire fait élire 2 députés avec 6,03 % des voix.

De toute évidence, PKP prend note de l'échec de la CAQ et tire un trait sur ce nouveau parti. Le 14 mars 2013, il quitte la direction de Québecor et, un mois plus tard, le 17 avril, il est nommé à la présidence du conseil d'administration d'Hydro-Québec. Le 10 mars 2014, il se portera candidat du Parti Québécois dans la circonscription de Saint-Jérôme.

Le 29 mars, en pleine campagne électorale, Mme Marois déclare que la loi anti-briseurs de grève, qui avait été rayée de la plate-forme électorale, n'est pas une priorité. « *Je suis prudente à cet égard, parce que nous avons quand même atteint un certain équilibre entre syndicats et employeurs.* »

Le 7 avril 2014, les libéraux reprennent le pouvoir avec 70 candidats élus et 41,5 % des suffrages. Le Parti Québécois obtient son pire score depuis 1973, en termes de suffrages recueillis, avec seulement 25,3 % des votes. Il fait élire 30 députés. La CAQ recueille 23 % des suffrages et 22 députés caquistes feront leur entrée à l'Assemblée nationale. Québec Solidaire ferme la marche avec trois élus et 7,6 % du vote.

Les sondages internes du Parti Québécois démontrent que la cote de popularité du parti était en hausse après l'adoption des mesures progressistes (abolition des droits de scolarité, fermeture de Gentilly II, abandon de l'exploitation de l'amiante, etc.), mais qu'elle s'est mise à chuter avec le budget néolibéral de Nicolas Marceau, à dégringoler avec l'annonce de la candidature de PKP, et s'est effondrée, lors du dernier débat des chefs.

Les électeurs libéraux se sont mobilisés, engrangeant 400 000 votes de plus qu'en 2012, alors qu'ils avaient boudé les urnes pour marquer leur insatisfaction à l'égard du gouvernement de Jean Charest. Par contre, le Parti Québécois a perdu 325 000 votes. Quelques électeurs péquistes ont enregistré un vote de protestation en donnant leurs voix à Québec Solidaire, mais l'immense majorité des mécontents ont évité, le 7 avril dernier, la fréquentation des bureaux de votation.

Au lendemain de la défaite péquiste, Pauline Marois, qui a subi la défaite dans sa circonscription, demeure fort active dans le Parti et réussit à imposer Stéphane Bédard comme chef intérimaire. Dans une de ses premières entrevues à titre de chef du parti, il déclare que l'objectif, pour le Parti Québécois, est de se débarrasser de la promesse de la tenue d'un référendum, et de proposer à la population « *un bon gouvernement* » et « *de faire avancer le Québec* » (*La Presse,* 23 avril 2014).

Rapidement, PKP met en place son organisation pour la course à la chefferie. Dans son entourage, on note la présence d'Éric Bédard, frère du chef intérimaire Stéphane Bédard, et Martin Tremblay, vice-président de Québecor et ancien employé de bureau de circonscription de Stéphane Bédard. PKP annonce officiellement sa candidature le 30 novembre dans sa circonscription de Saint-Jérôme. À ses côtés, on note la présence de trois députés qui appuient sa candidature, soit la députée de Pointe-aux-Trembles, Nicole Léger, sœur de Jean-Marc Léger de Léger Marketing, le député de Rimouski Harold Lebel, un apparatchik du parti depuis 1994, et le député de Matane Pascal Bérubé, malgré le fait qu'il avait jadis ragé parce qu'un média de Québecor avait congédié, injustement selon lui, un membre de sa famille. Pascal Bérubé dispute à Harold Lebel le rôle de leader de la région du Bas-du-Fleuve.

Les médias ont également souligné la présence de Denise Filiatrault. Cette dernière est directrice artistique du Théâtre du Rideau-Vert, sauvé de la faillite en 2005 par Québecor et les trois ordres de gouvernement. Elle symbolise l'extraordinaire influence de Québecor et de PKP sur le monde artistique et culturel québécois.

# CHAPITRE 8
## Deux empires s'affrontent

Au lendemain de l'émission *Tout le monde en parle* (TLMP) du 16 novembre 2014, Véronique Cloutier était en furie. La veille, pendant qu'elle regardait l'émission enregistrée le jeudi précédent, au cours de laquelle elle célébrait avec son conjoint Louis Morissette leur réconciliation avec le couple Péladeau-Snyder, elle recevait un texto annonçant que son magazine *Véro* passait des mains de Transcontinental à celles de Québecor. Elle réalisait alors que la « *réconciliation* » n'était pas fortuite et s'inscrivait dans le plan d'affaires de l'empire Québecor.

Le congédiement de Louis Morissette du réseau TVA, en 2004, à la suite d'un sketch au *Bye Bye* comparant Pierre Karl Péladeau à Séraphin Poudrier, et son exclusion pendant dix ans des médias de Québecor, ont servi d'exemple et d'avertissement au milieu culturel québécois. PKP a la peau tendre. Quiconque se moque ou critique le propriétaire de Québecor encourt des représailles.

Mais, au-delà des états d'âme de Véro, le transfert de 15 magazines (*Véro, Coup de pouce, Elle Québec, Décormag,* etc.) à TVA Publications, en échange de la cession, quelques mois auparavant, de 74 hebdos régionaux à Transcontinental est porteur de conséquences dramatiques pour les pigistes de ces magazines. TVA Publications est reconnue pour offrir un des pires contrats du milieu, et la journaliste indépendante Cécile Gladel exprimait bien l'opinion générale lorsqu'elle déclarait : « *Honnêtement quand j'ai appris la nouvelle, j'étais sous le choc. J'ai cessé de travailler pour TVA Publications depuis qu'ils imposent un contrat qui exige de céder nos droits moraux* » (*La Presse*, 23 novembre 2014).

## L'empire culturel Québecor

Cette hyper-concentration de produits culturels entre les mains de Québecor n'est pas particulière au monde des magazines. Dans le domaine de l'édition, Le Groupe Livre Québecor Média réunit 16 maisons d'édition de littérature générale, dont Sogides (Les Éditions de l'homme, etc.), le groupe Ville Marie Littérature (VLB, l'Hexagone, etc.), le groupe Librex (Libre expression, Stanké, Trécarré, Québec-Livres, etc.). Il comprend également les éditions CEC, spécialisées dans l'édition scolaire.

Imprimés sur les presses de Québecor, les livres sont distribués par les Messageries ADP, propriété de Québecor, le plus important distributeur de livres au Québec. Les magazines et les journaux de l'empire sont distribués par les Messageries Dynamiques, également propriété de Québecor, dont la position de quasi-monopole s'est consolidée avec l'acquisition récente de la distribution des publications de LMPI, la maison qui avait hérité des publications distribuées par Benjamin News, après la faillite de cette messagerie. Il ne suffit pas d'éditer, d'imprimer et de distribuer des livres, ceux-ci doivent aussi se trouver sur les rayons des librairies. Filiale de Québecor Media, Archambault compte 14 librairies sur l'ensemble du territoire québécois.

Tout comme l'empire peut faire ou défaire les carrières d'artistes populaires avec des émissions comme *La Voix* ou *Star Académie* sur les ondes de TVA, et la couverture que leur accordent le *Journal de Montréal* et le *Journal de Québec,* le contrôle d'une bonne partie de la production et de la distribution d'essais ou d'ouvrages de littérature peut intimider bien des auteurs et les amener à s'autocensurer. Un auteur, même s'il publie dans une maison d'édition concurrente, sait très bien que ses ouvrages peuvent rester longtemps dans des boîtes et ne jamais se trouver sur les présentoirs des nouveautés dans une librairie Archambault, s'il commente, par exemple, de façon négative le fait que PKP puisse porter un jour le chapeau de chef du Parti Québécois et celui de magnat de la presse.

De nombreux autres cas d'autocensure peuvent être cités. Mentionnons la très faible présence d'artistes en soutien aux lockoutés du *Journal de Montréal* ou encore l'absence de toute référence à PKP, autre que son accident de vélo, dans la revue de l'année 2014 présentée au Théâtre du Rideau-Vert. Le théâtre a été sauvé de la faillite par Québecor.

Il faut souligner toutefois que le traditionnel « *arm's length* » (« *la saine distance* ») du financement des arts d'interprétation par les instances gouvernementales a singulièrement rétréci ces derniers temps. La commandite du privé est non seulement souhaitée, mais souvent exigée des compagnies de théâtre, de danse ou de musique, pour obtenir une subvention. On se souviendra que la ministre des Affaires culturelles, Line Beauchamp, fut la grande prêtresse de ce rapprochement du monde des affaires et de la culture.

Dans la même foulée, *Culture Montréal* et son fondateur Simon Brault ont misé sur une contamination des affaires par la culture. À terme, il semble que c'est plutôt l'effet contraire qui se produit, celle de la culture par le *modus operandi* des affaires. Avec l'autocensure en sus. Et le *branding* en prime. Celui qui permet de visiter l'Expo Bell des Légendes du Festival à la Maison du Festival Rio Tinto Alcan, où l'on trouve également la salle de spectacle L'Astral de Bell Media et Le Lounge TD.

## L'empire culturel Bell-Groupe CH-evenko

Mais la mainmise de Québecor sur le monde culturel et artistique est loin d'être aussi totale que se plaisent à l'affirmer certains de ses adversaires politiques. Il existe des maisons d'édition qui échappent à son contrôle, comme Québec Amérique, Boréal et une quinzaine d'autres petits éditeurs. La chaîne Renaud-Bray possède deux fois plus d'établissements qu'Archambault avec 32 points de vente, dont 26 librairies agréées au Québec. Une centaine de librairies indépendantes ont aussi pignons sur rue.

Dans le domaine de la production de spectacles, Québecor affronte la concurrence du géant evenko, division spectacle du Groupe CH, propriété des frères Molson, qui possède le Canadien de Montréal et le Centre Bell.

En 2013, evenko a organisé 107 spectacles au Centre Bell, dont la plupart avec des vedettes internationales. evenko organise aussi les festivals Osheaga et Heavy MTL. Il possède une boîte de gestion de musiciens, Atlas Artists, et produit des humoristes comme Philippe Bond, Sugar Sammy et François Morency. Au total, evenko a produit 1049 événements en 2013. Le magazine américain Pollstar a classé evenko au premier rang des producteurs de spectacles au Canada, et parmi les dix meilleurs en Amérique du Nord.

En plus du Centre Bell, evenko gère aussi le Théâtre Corona Virgin Mobile dans le sud-ouest de Montréal. En 2013, il a acquis le Groupe Spectra, ramenant dans son giron deux autres salles de spectacles, soit le Métropolis (2 300 places) et l'Astral (920 places), ainsi que trois festivals majeurs de la métropole : les FrancoFolies, le Festival international de Jazz et Montréal en lumière. Par cette transaction, evenko a aussi fait l'acquisition de Spectra Musique, une agence d'artistes et une maison de disques, qui représente, entre autres, Vincent Vallières, Michel Rivard, Stefie Shock et Catherine Major.

evenko sera aussi le gestionnaire de la future Place Bell à Laval, un projet de 10 000 places. evenko assurera une partie du financement de l'amphithéâtre avec Bell, à hauteur de 32 millions $. Le gouvernement du Québec avancera quant à lui une somme de 46,3 millions $. Le reste du budget – qui totalise 120 millions $ – sera assuré par la Ville de Laval. Le Groupe CH veut que la Place Bell soit l'hôte de son club-école les

Bulldogs de Hamilton. La télédiffusion éventuelle de ces matches par le Réseau RDS, propriété de Bell, entrera en concurrence avec celle des Remparts par TVA Sports.

Mais c'est surtout au plan des spectacles que la Place Bell à Laval prend toute son importance. Avec l'acquisition du Groupe Spectra, Bell-evenko aura une énorme emprise sur le marché montréalais, reléguant Québecor au marché de Québec avec son amphithéâtre.

Québecor a, sans succès, tenté d'obtenir le contrat de gestion de l'amphithéâtre de Laval. Elle s'est, par la suite, présentée devant les tribunaux pour demander un nouvel appel d'offres, s'estimant lésée par l'administration de Laval lorsque celle-ci a modifié l'emplacement du futur amphithéâtre après que le processus d'appel de propositions eut été terminé. Mais sa requête a été rejetée.

### De l'usage de la censure

De la même façon qu'il est faux de présenter l'empire Québecor comme ayant une mainmise totale sur le monde culturel québécois, il est aussi erroné de lui attribuer le monopole de la censure. Dans un échange épistolaire avec PKP, lors du lock-out au *Journal de Montréal,* publié sur le site de *L'Actualité* (propriété de Rogers Communication), Jean-François Lisée interpellait PKP à propos de ses interventions auprès des journalistes de ses médias.

« *Vous savez ce qu'on raconte,* écrivait Jean-François Lisée. *Tel ancien employé m'assure qu'on lui commandait des papiers orientés et que, s'il affirmait avoir une conclusion inverse, on lui disait de laisser tomber. Tel autre affirme qu'il faut se lever de bonne heure pour pouvoir dire du bien, dans vos pages ou sur vos ondes, de quelque société d'État québécoise que ce soit, sauf Loto-Québec. Ni l'un ni l'autre ne sont liés au conflit en cours. Je les crois. On me raconte aussi qu'il vous arrive d'intervenir directement dans la couverture, suggérant des angles, des critiques, des questions, notamment lorsque vos concurrents sont en cause.»*

Lisée en concluait que « *les éléments d'information avérés dont nous disposons permettent de conclure que le niveau d'intervention du propriétaire dans la direction de la couverture journalistique à Quebecor est, dans le Québec contemporain, exceptionnel*» et il demandait à PKP s'il accepterait « *de prendre de la distance face à la couverture médiatique et de garantir l'indépendance des salles de nouvelles*».

Avant de traiter du fond de la question, soit l'intervention des propriétaires dans le travail journalistique, il est bon de rappeler que de telles ingérences ne sont pas exclusives aux médias de Québecor. Par exemple, quand Radio-Canada réduit l'équipe de l'émission *Enquête* de trois journalistes et d'un réalisateur, c'est une forme de censure. Quand des patrons de *La Presse* soufflent à l'oreille de leurs journalistes, comme ils le font actuellement, que la publication de scandales « *nuit à l'économie du Québec*» et demandent aux journalistes de la section Affaires s'ils « *aiment le monde des affaires*», en laissant entendre que leurs repor-

tages laissent croire le contraire, c'est aussi une
forme de pression qui équivaut à de la censure.

## Censure à *La Presse*

Au cours des ans, des exemples de censure plus
directs à *La Presse* ont défrayé la manchette. À la
fin de 1998, André Desmarais, gendre de Jean
Chrétien, serait lui-même intervenu dans la salle
de rédaction en demandant aux journalistes ce que
ses enfants allaient penser de leur grand-père
Chrétien si le journal continuait à le dépeindre de
façon aussi négative !

Les Desmarais-Chrétien en voulaient particulièrement à la journaliste Chantal Hébert pour avoir
écrit, dans sa chronique du 25 octobre 1998, que
M. Chrétien aurait pu donner un coup d'élan à la
campagne de Jean Charest, s'il avait annoncé que
l'élection au Québec d'un gouvernement fédéraliste
lui permettrait d'envisager avec « *sérénité* » sa propre retraite. Chantal Hébert avait laissé entendre
que la perspective du départ de M. Chrétien pourrait « *motiver un certain nombre d'électeurs québécois à voter pour les libéraux provinciaux* ». La
direction du journal *La Presse* a alors proposé à
Chantal Hébert de laisser à quelqu'un d'autre sa
chronique politique et de s'occuper d'une chronique
sur le nouveau millénaire. Mme Hébert a décliné
l'« *offre* » de la direction et a quitté le journal.

Un autre cas célèbre est celui de l'éditorialiste
André Pratte. Il a été démis de ses fonctions comme
chroniqueur à la suite d'un texte intitulé « *Tout est
pourri* » où Power Corporation était associée à une

présumée déliquescence de la société dans son ensemble. Paul Desmarais n'avait pas apprécié. C'est à Claude Masson, le vice-président et éditeur adjoint du quotidien, qu'avait été confiée la mission de remettre de l'ordre dans le journal. Dans une lettre envoyée à tous les journalistes de *La Presse,* il avait écrit que *« le contenu – fond et forme – de cette chronique est inacceptable au plan professionnel, injustifié et injustifiable au plan de la responsabilité journalistique, et dénote une erreur grave de jugement ».*

À l'époque, les journalistes de *La Presse* avaient fermement dénoncé la sanction infligée à André Pratte, la qualifiant d'« *ingérence du propriétaire* » et de « *cas patent de censure* ». Ils avaient joint la parole aux actes en faisant la grève des signatures dans une édition du quotidien.

André Pratte en a finalement été quitte avec une lettre de réprimande et une prolongation de trois mois de sa période d'essai comme chroniqueur. Il a fait amende honorable, si bien qu'il a été promu plus tard éditorialiste en chef du journal. Cela n'est sans doute pas étranger au fait que son père, Me Yves Pratte, a fait partie pendant des années des conseils d'administration de Power Corporation et de la Financière Power.

Les propriétaires de *La Presse* ont aussi toujours été très actifs au plan politique. Le patriarche, Paul Desmarais, était connu comme le « *King Maker* » de la politique canadienne et québécoise. Au niveau fédéral, le journaliste Peter C. Newman a décrit dans *The Canadian Establishment* comment la campagne de Pierre Elliott Trudeau en 1968 a été organisée dans les bureaux de Power Corporation à

Montréal. André Desmarais a marié la fille de Jean
Chrétien et Paul Desmarais a fait la fortune d'un
autre Premier ministre, Paul Martin, en lui cédant
à un « *prix d'ami* » (financement inclus) la
Canadian Steamship Lines. On imagine facilement
que la famille Desmarais est aujourd'hui présente
dans l'entourage de Justin Trudeau.

Les Desmarais ont également été très actifs sur
la scène politique québécoise. Dans un documen-
taire consacré à Claude Ryan, le journaliste Jean-
François Lépine expliquait comment Paul
Desmarais a obligé Jean Chrétien, qui lorgnait la
succession de Robert Bourassa après l'élection de
1976, à céder la place à Claude Ryan. Plus tard,
Daniel Johnson a quitté son poste de membre du
conseil d'administration de Power Corporation
pour remplacer Claude Ryan. Enfin, André Pratte
raconte, dans sa biographie de Jean Charest, comment Paul Desmarais a tordu le bras à ce dernier
pour le forcer à quitter la direction du Parti
Progressiste-Conservateur fédéral pour celle du
Parti Libéral du Québec.

## Une salle de rédaction n'est pas un salon de coiffure

Dans son débat avec PKP, Jean-François Lisée
essaie d'établir, à sa manière habituelle, une dis-
tinction toute jésuitique entre les façons de faire de
Québecor et de Gesca. Selon lui, contrairement à ce
que soutenait PKP dans leur échange épistolaire, il
est faux de prétendre que « *la courroie de transmission du propriétaire vers la couverture journalis-*

*tique est courante à* La Presse », en invoquant des « *informations de première main pour la période couverte par la présence de l'éditeur Guy Crevier* ».

Au-delà de la forme des interventions des propriétaires dans leurs médias, PKP a bien cerné le cœur du débat dans sa réponse à Lisée.

« *Quant à l'indépendance des journalistes, c'est un concept dont il faut bien comprendre l'application au sein d'une salle de rédaction. Un journaliste ne se loue pas un bureau dans une salle de rédaction comme un coiffeur loue une chaise dans un salon réputé où il reçoit librement sa propre clientèle, selon son humeur. Une salle de rédaction n'est pas un collectif de joueurs autonomes qui laissent libre cours à leurs envies du moment ; elle possède une structure, un esprit de corps, et le journaliste y œuvre au sein d'une équipe.*

« *L'éditeur, le rédacteur en chef ou le directeur de l'information,* poursuit le propriétaire de Québecor, *font chaque jour des choix éditoriaux et livrent des affectations en conséquence. Il ne s'agit pas là de contrôle de l'information, comme cela s'est entendu lors d'une séance de défoulement collectif au dernier congrès de la FPJQ. Il ne s'agit là que de simples préceptes organisationnels auxquels n'échappe aucune entreprise. Ces accusations de contrôle sont pourtant reprises à l'envi à l'endroit des médias de Quebecor et ce, depuis plusieurs années maintenant, comme si* La Presse *ou* Le Devoir *laissaient leurs propres journalistes entièrement libres de choisir les nouvelles à publier.* »

PKP a raison. Tant que les médias seront entre les mains d'intérêts privés, il est inévitable que le

propriétaire en définisse l'orientation. Le propriétaire peut intervenir directement, comme PKP le
faisait, ou indirectement par le biais des cadres,
comme c'est la pratique à *La Presse*. Dans les deux
cas, la liberté de la salle de rédaction est toute relative. À cet égard, l'indépendance d'un journal
comme *Le Devoir* est tout aussi relative. Ainsi, on
imagine mal *Le Devoir* partir en croisade contre
PKP, étant donné que Québecor est son imprimeur,
son distributeur et son principal créancier.

C'est ce que rappelait, avec un plaisir non dissi-
mulé, l'ineffable Luc Lavoie, le 15 février 2001, devant
la Commission parlementaire menant une consulta-
tion générale sur les impacts des mouvements de propriété dans l'industrie des médias et des télécommunications. Le porte-parole de Québecor vantait « *l'indépendance du* Devoir » tout en rappelant que
Québecor était le garant de cette « *indépendance* ».

« *Quand Quebecor s'est retrouvée dans une situation où il y avait un autre joueur de la presse au
Québec* – Le Devoir – *qui était en difficulté,
Quebecor, pas seulement une fois, deux fois, très
concrètement – et on parle de sommes d'argent considérables – n'a pas hésité, l'a fait avec un certain
enthousiasme, l'a fait même avec beaucoup d'enthousiasme, à aider à la survie du quotidien* Le Devoir. »

## À convergence, convergence et demie

Au chapitre 3, nous avons montré que Gesca était
un acteur mineur dans l'économie des médias au
Québec face à des géants comme Québecor et Bell
qui représentaient respectivement 22,6% et 37,2%

de l'ensemble des revenus du monde des télécommunications. Mais Gesca est une composante de
Power Corporation, un immense conglomérat aux
intérêts tentaculaires à l'échelle canadienne et
mondiale. Cela n'est pas sans exercer une influence
certaine sur l'orientation de ses médias. Que les
journaux de Gesca, par exemple, mènent une campagne à peine voilée pour la privatisation des soins
de santé n'est pas étranger au fait que Power
Corporation est propriétaire de deux des plus
importantes compagnies d'assurances au Canada,
la London Life et la Great-West. Les compagnies
d'assurances sont les principales bénéficiaires des
avancées de la privatisation en santé. De même,
l'appui ouvert des médias de Gesca au projet Éner-
gie Est de TransCanada s'explique par le fait que le
pipeline transportera du pétrole des sables bitumineux de la pétrolière française Total, dont Power
Corporation est un des principaux actionnaires.

On ne peut prendre la pleine mesure de Gesca
sans évoquer son partenariat historique avec
Radio-Canada. Aujourd'hui, ce partenariat est partiellement remis en question avec le passage au
numérique avec *La Presse +*. Selon le *Canadian
Media Concentration Research Project,* la présence
du site de Radio-Canada, dont l'accès est gratuit,
empêche Gesca d'ériger un mur payant pour accéder à son site Internet et à *La Presse +*. Le mur
payant se généralise rapidement à l'ensemble des
journaux au Canada et, au Québec, il est déjà en
vigueur au *Journal de Montréal* et au *Devoir*.
Comble de l'ironie, Gesca et Québecor font donc
aujourd'hui cause commune contre Radio-Canada

et se félicitent de la dégradation du site Internet de
la société d'État par suite des compressions budgétaires de son p.d.-g. Hubert T. Lacroix.

Selon une rumeur de plus en plus persistante,
l'avenir de Gesca serait aujourd'hui incertain.
Après avoir investi 40 millions $ dans *La Presse +,*
il n'est toujours pas assuré que ce modèle économique soit viable. Gesca doit vendre la plate-forme
numérique de *La Presse* + à d'autres médias canadiens et américains pour que les grandes agences
de publicité voient un avantage à produire davantage de réclames multimédia pour le nouveau vec-
teur. Une entente à cet égard semble en voie de réa-
lisation avec le *Toronto Star,* mais il est déjà assuré
que cela ne suffira pas.

Gesca a donc décidé de retarder l'intégration aux
tablettes, d'au moins 18 à 24 mois, de ses six journaux régionaux (*Le Soleil, La Tribune, Le Quotidien,
La Voix de l'Est* et *Le Nouvelliste*). En attendant, les
revenus baissent, d'où la nécessité pour Gesca de
rationaliser les opérations en effectuant des compressions dans ses journaux régionaux.

Plusieurs spéculent sur la possibilité que Gesca
cède ses publications à Bell, à qui il ne manque
qu'une chaîne généraliste et des quotidiens pour
concurrencer Québecor. Avec la dématérialisation
de ses publications, Gesca pourrait facilement alimenter en contenu les tuyaux numériques de Bell.
À la convergence de Québecor pourrait répondre
une convergence encore plus puissante autour de
Bell, avec le Groupe CH – propriétaire du Centre
Bell, de la Place Bell et d'evenko –, les médias de
Gesca et un partenariat avec Radio-Canada.

## Les orphelins de la grande presse

Dans toutes les grandes démocraties, les principales fractions de la classe dominante ont leurs propres organes de presse qui soutiennent leurs partis politiques respectifs. Leurs médias fouillent dans les affaires de leurs rivaux pour révéler des scandales et miner leurs ambitions politiques.

Au Québec, nous sommes devant deux grands groupes médiatiques, avec Québecor et Bell-Gesca-Radio-Canada. Le premier est nationaliste, mais non indépendantiste ; l'autre est fédéraliste. Leur rivalité a une fonction éducative non négligeable pour ceux et celles qui savent lire entre les lignes et décoder les informations qu'ils nous transmettent. Cependant, au-delà de cette concurrence, ces deux grands groupes font preuve de la plus totale unité dans leur antisyndicalisme.

Dans cet ouvrage, nous avons fait état de l'antisyndicalisme virulent de Québecor, particulièrement lors des conflits à Vidéotron, au *Journal de Québec* et au *Journal de Montréal,* ainsi que lors des campagnes « *Québec dans le rouge* » et contre la modernisation de la loi anti-briseurs de grève. Nous aurions pu citer plusieurs autres exemples.

Après le conflit au *Journal de Montréal,* PKP a cherché à recentrer idéologiquement son empire en élargissant la brochette de chroniqueurs et de blogueurs sur le site du *Journal de Montréal* avec des représentants des mouvements syndical, étudiant, environnementaliste, et de la gauche québécoise. Mais les articles de ces blogueurs n'apparaissent que rarement dans

la version papier du journal et sont donc confinés
à un public restreint.

De plus, par suite des récentes modifications
apportées à la plate-forme Internet du *Journal de
Montréal,* les lecteurs sont invités à s'abonner aux
textes de leurs 5 blogueurs favoris sur un total de
plus de 40 blogueurs politiques. La conséquence :
Les blogueurs progressistes seront cantonnés à un
lectorat conquis d'avance. En les recrutant dans
son écurie, PKP s'assure, en prime, de neutraliser
pour une somme minime – 75 $ par article – cer-
tains de ceux qui avaient été jadis parmi ses plus
virulents détracteurs.

L'antisyndicalisme est aussi au cœur de l'orientation fondamentale de Gesca, avec cette particula-
rité qu'il est associé au combat contre le mouvement indépendantiste. Le patriarche Paul
Desmarais le résumait bien dans l'extrait d'une
entrevue accordée à l'hebdomadaire français *Le
Point,* censuré par les gens de Power Corporation,
mais qui est parvenu à Robin Philpot lequel l'a
publié dans *Derrière l'État Desmarais : Power.* Paul
Desmarais déclarait qu'il s'opposait à l'indépendance du Québec parce « *que les séparatistes nous
conduisent à la dictature des syndicats* ».

Dans ces conditions, la classe ouvrière, les
classes populaires et le mouvement indépendantiste se trouvent être les orphelins de la grande
presse. Aucun média de masse qui leur soit propre,
qui défende sur une base quotidienne leurs intérêts, qui leur présente une vision du monde, qui
leur propose un programme politique, une stratégie, conformes à leurs intérêts à court, à moyen et

long terme. Aucun média de masse qui lie la lutte pour l'émancipation sociale à la lutte pour la libération nationale.

Au contraire, la lutte nationale est aujourd'hui présentée comme une lutte entre deux empires, une lutte entre deux bourgeoisies, alors que, dans son essence même, c'est une lutte du peuple pour son affranchissement économique, politique et culturel.

## CHAPITRE 9
## L'homme providentiel ?

**M**athieu Bock-Côté a été le premier à utiliser l'expression « *l'homme providentiel* » pour cette « *figure d'homme d'exception* » et cette « *créature politique hors-norme* » que serait Pierre Karl Péladeau. Richard Le Hir, rédacteur en chef du site Internet Vigile, le consacre, lui aussi, « *homme de la providence* ». Il incarnerait, à ses yeux, « *la revanche des Québécois sur l'histoire* ». Rien de moins. L'avance de PKP sur les autres candidats dans la course à la chefferie paraît à Le Hir à ce point insurmontable qu'il proclame : « *Les jeux sont faits !* ». Les autres candidats devraient donc, selon lui, « *s'effacer et lui céder gracieusement la place* ». Quant aux instances du Parti Québécois et ses députés, ils devraient avoir « *la sagesse de faire l'économie de débats* ». Selon Richard Le Hir, « *toute autre issue serait carrément suicidaire* », tant pour le parti que pour les autres candidats. Tous ceux qui ne s'agenouillent pas devant PKP « *font le jeu des fédéralistes* » et doivent craindre l'anathème, car « *viendra bien un jour où il faudra se demander s'ils y tiennent vraiment tant que ça, à l'indépendance !* ». (Éditoriaux de Vigile, 29 septembre et 2 octobre 2014).

Andrée Ferretti lui emboîte le pas. Selon elle, PKP incarne « *l'espoir* », mais un espoir qu'il pourrait lui-même compromettre par de malencontreuses déclarations comme sa sortie, suivie de sa rétractation, sur la non-pertinence du Bloc Québécois. Elle lui enjoint donc de se taire ! « *Taisez-vous quand vous n'avez rien à dire qui ne relève pas directement de votre propre engagement.* » (Indépendantes, 20 novembre 2014) Comme si de connaître sa position sur l'existence ou non du Bloc était une question marginale pour l'appréciation de son jugement politique !

L'ex-felquiste Jacques Lanctôt, chroniqueur sur le site Canoë, propriété de Québecor, s'en prend au président de la FTQ et au SPQ Libre pour avoir invité les syndicalistes et les progressistes à prendre leur carte de membre du Parti Québécois pour participer au choix du prochain chef du Parti Québécois. Selon lui, les syndicalistes ne devraient pas prendre le risque d'être de « *joyeux perdants* » dans un « *affrontement suicidaire* » dans le « *climat actuel où triomphe le néolibéralisme* ». Il leur pose la question : Est-ce cela « *que vous appelez "contribuer à la vie démocratique du Québec ?"* »

Quelle drôle de conception de la vie démocratique que d'inviter des indépendantistes à rester sur les bords du chemin et à assister en spectateurs à un exercice démocratique aussi important que le choix du prochain chef du mouvement souverainiste ! Quelle bizarre conception de la démocratie que d'inviter les autres candidats à « *s'effacer* » et à « *céder gracieusement leur place* » ! Quelle singulière conception de la vie démocratique que de demander aux instances du parti et aux députés péquistes d'avoir « *la sagesse de faire l'économie de débats* » ! Quelle étrange conception du débat démocratique que de conseiller de se taire à un candidat, qui n'a pas encore fait connaître les orientations qu'il entend défendre !

Imagine-t-on pareils propos adressés à un René Lévesque, un Jacques Parizeau ou un Lucien Bouchard ?! Cela témoigne d'une confiance, à tout le moins chancelante, dans « *l'homme providentiel* ». Et PKP confirme leurs pires appréhensions en refusant de signer la lettre des autres candidats qui réclament au moins cinq débats dans la course à la chefferie !

De telles réactions ne sont pas sans rappeler la course à la chefferie de 2005 qui a couronné André Boisclair. À l'époque, nombre de militants péquistes étaient prêts à se fermer les yeux et à se boucher les oreilles tant ils voulaient l'élection d'un jeune afin de clouer le bec à ceux qui proclamaient que le Parti Québécois était l'affaire d'une génération. On connaît le résultat.

Aujourd'hui, dans un contexte où dominent les questions économiques, plusieurs croient que la présence d'un homme d'affaires du calibre de PKP représente, encore une fois, la dernière chance du Québec d'accéder à l'indépendance. Ce réflexe est compréhensible chez les militants de la première heure qui rêvent de voir, avant la fin de leurs jours, le drapeau du Québec flotter aux côtés de ceux des autres nations devant l'édifice des Nations-Unies, pour employer une formule chère à Bernard Landry. Cependant, l'engouement pour la candidature de PKP transcende les générations.

## Une « *révolution politique* » avec PKP ?

Dans son livre *Le Souverainisme de province* (Boréal), Simon-Pierre Savard-Tremblay (SPST) raconte minutieusement comment s'est opéré, au cours de la décennie 1970, le basculement du souverainisme vers une logique provincialiste. Il décrit très bien le rôle de différents acteurs, et plus particulièrement celui central de Claude Morin, dans ce « *basculement* ». Il soutient que le virage de « *l'étapisme* » n'était pas un changement de tactique, mais de paradigme. Avant « *l'étapisme* », il n'était, rappelle-t-il, « *aucunement question de séparer l'exercice du pouvoir et la construction effective du pays québécois* ».

Son analyse est précieuse pour le rappel des événements politiques. Cependant, il ne fait qu'effleurer le rôle, souterrain, mais pourtant capital, de la bourgeoisie québécoise, dans ce « *basculement* » de stratégie. La candidature de PKP nous incite à pousser plus loin l'analyse, d'autant plus que SPST, représentatif en cela d'un courant important au sein du mouvement souverainiste, semble faire reposer l'avenir de ce mouvement sur la bourgeoisie d'affaires québécoise.

Bien sûr, il nous dit que « *les élites québécoises ont aujourd'hui démissionné de l'idée d'intérêt collectif* » et que « *le Québec ne bénéficie malheureusement pas d'une élite d'affaires dotée d'une vision qui la servirait à long terme tout autant qu'elle serait salutaire au développement collectif* ».

Mais il enchaîne en faisant de cette élite d'affaires la clef de voûte du projet national. Il écrit que « *pour s'assurer qu'une entrée mal préparée dans la mondialisation ne conduise pas à la dissolution d'une petite économie comme celle du Québec dans un grand marché, il faut un consensus autour de l'intérêt national au sein de la bourgeoisie d'affaires* ».

SPST constate avec raison que « *les leviers que sont Hydro-Québec, la Société générale de financement et la Caisse de dépôt sont plus menacés que jamais de dislocation, après avoir été détournés de leurs fonctions* » et que « *ces institutions ne sont plus au service de l'intérêt national et se sont ouvertes à une philosophie de gestion apatride qui les amène à chercher l'intégration économique au marché nord-américain* ».

Il reconnaît que « *certains n'hésitent pas d'ailleurs à voir carrément la disparition pure et simple du Québec Inc.* », mais il trouve que « *cela est fort regrettable, car la logique pourrait être inversée : plus le Québec Inc. se développera, plus grande sera l'ouverture commerciale. D'autre part, l'indépendance imposerait au Québec de se doter d'une élite financière* ».

Cette ambivalence de SPST à l'égard de la bourgeoisie québécoise est bien exprimée dans son appréciation de la candidature de PKP, comme en font foi le titre et le contenu de la lettre d'opinion qu'il signe dans *Le Devoir* du 17 décembre, « *Vers une " révolution PKP ? "*

Il affirme que « *le poing levé de Pierre Karl Péladeau, le 9 mars 2014, était fascinant* » parce qu'il a « *forcé le PQ à faire face à sa mission historique* ». Il se dit impressionné par le lancement de la campagne de PKP, qui était « *une démonstration*

*de force donnant l'impression d'un couronnement* »,
et par sa déclaration soutenant « *que la gouver-
nance de la province ne l'intéressait pas* ».

Mais le contenu du texte de SPST témoigne de
son ambiguïté à l'égard de ce représentant de l'élite
d'affaires québécoise, comme en témoignent les
extraits suivants : « *Pour PKP, l'indépendance
SEMBLE résider* » ; « *une doctrine d'ensemble que
SEMBLAIT prôner Péladeau* » ; « *la géopolitique
des énergies SEMBLE faire office de creuset central
de la vision de Pierre Karl Péladeau* » ; « *PKP nous
laisse MIROITER une CERTAINE volonté* » ;
« *Péladeau souhaite APPAREMMENT sortir l'indépendance du registre de l'événementiel* » ; « *il peut
POTENTIELLEMENT bouleverser le jeu* ».

Manifestement, SPST s'inclut dans ces « *plusieurs militants indépendantistes* » qui « *s'interro-
gent d'ailleurs quant au plan détaillé du candidat* »,
(« *PKP détient la position du meilleur capitaine mais
on IGNORE toujours – un peu moins, certes – vers où
le navire péquiste naviguera* »), tout en rappelant
que « *les indépendantistes, trop souvent, ont eu à
signer des chèques en blanc* ». Il évoque même la possibilité qu'il puisse s'agir « *d'un pétard mouillé* ».

Déjà, dans *Le Souverainisme de province,* il
avait exprimé ses réticences et ses inquiétudes en
reprochant aux péquistes d'être « *prisonniers de
leur foi en l'homme providentiel plutôt qu'en l'effet mobilisateur des politiques* » et il rappelle que
« *le chef ne détient pourtant pas de fonction
divine, et le fantasme judéo-chrétien a mené jadis
à l'avènement de messies récalcitrants à l'instar
de Lucien Bouchard* ».

SPST termine son article du *Devoir* sur une note d'espoir peu convaincante. « *La base militante devra reprendre ses droits et reprendre le goût pour les idées. En échange, la direction péquiste devra cesser de craindre sa base. Dès lors, le moment PKP pourrait se muter en véritable révolution politique.* »

Si les propos des Le Hir, Ferretti, Lanctôt et le refus de PKP d'endosser la lettre réclamant au moins cinq débats, représentent la direction que ce dernier compte donner au Parti Québécois, nous ne naviguons certes pas en direction d'une réappropriation des droits de la base militante, ni du débat d'idées et encore moins d'une « *véritable révolution politique* ».

## De quelques leçons tirées de notre histoire

Il est réducteur d'évaluer les chances de réussite d'un mouvement de libération nationale à l'état d'esprit de son élite d'affaires et à l'émanation possible de son sein d'un homme providentiel. Il faut surtout tenir compte de l'état de mobilisation de la population, de la configuration des forces politiques et, fait très important dans le cas des petites nations comme le Québec, de la situation internationale.

Ainsi, au plan mondial, le mouvement de décolonisation des années 1960 s'explique en grande partie par l'affaiblissement des empires coloniaux britannique et français, à la suite de la Seconde guerre mondiale, et au soutien apporté aux différentes luttes de libération nationale en Afrique et en Asie par l'Union soviétique et/ou les États-Unis.

Notre propre histoire n'est pas dépourvue de riches enseignements à cet égard. Le mouvement des Patriotes de 1837-1838 s'appuyait sur une mobilisation populaire exceptionnelle, galvanisée par une presse militante, et un leader politique remarquable en la personne de Louis-Joseph Papineau. Cependant, même si elle s'inscrivait dans le mouvement général de l'indépendance des peuples de l'époque, elle a échoué. Pas fondamentalement à cause de l'absence d'un « *homme providentiel* » ou d'une stratégie erronée, mais tout simplement parce que le rapport de forces était défavorable. Au moment jugé opportun, les autorités britanniques ont mis la baïonnette à l'ordre du jour et ont profité de leur avantage militaire démesuré pour écraser la rébellion.

Pour triompher, les Patriotes auraient eu besoin du soutien actif de la jeune république américaine. Papineau l'avait compris et a rencontré le président américain Van Buren pour solliciter son appui. Mais les États-Unis ne voulaient pas, à ce moment-là, de guerre avec la Grande-Bretagne, ce qu'aurait inévitablement provoqué leur appui à la rébellion des Patriotes.

Les Britanniques ont pu compter, en plus de la neutralité américaine, sur l'appui du haut clergé catholique, l'élite de l'époque, dont ils s'étaient assurés la collaboration avec l'Acte de Québec de 1774, conçu pour empêcher les Canadiens de répondre à l'appel des révolutionnaires américains.

Après la défaite, plusieurs leaders patriotes ont abandonné la lutte et rallié les rangs adverses pour assurer la mise en place de l'Acte d'Union et, plus tard, de la Confédération. Le plus illustre d'entre eux est certainement George-Étienne Cartier. C'est cette classe d'hommes politiques, vendus aux vertus de la collaboration avec le dominant, que célèbre l'historien Éric Bédard dans son livre *Les Réformistes* (Boréal). Louis-Joseph Papineau, « *l'homme providentiel* » de la Rébellion, est, quant à lui, demeuré fidèle à ses convictions en dénonçant l'Union et la Confédération.

## Une occasion ratée

Des événements d'une autre période historique charnière illustrent encore l'importance du contexte international dans la lutte du peuple québécois. En 1967, au milieu des célébrations du centenaire de la fédération canadienne, le Général de Gaulle lance son célèbre « *Vive le Québec libre !* » et compare l'accueil reçu par la population, lors de son parcours triomphal de Québec à Montréal, à celui de la Libération.

La déclaration de De Gaulle s'inscrit alors dans une politique d'indépendance nationale de la France et de contestation du leadership américain. La France quitte les institutions militaires de l'OTAN et lance une politique d'alliances avec l'URSS et l'Europe de l'Est. Cette politique s'étend jusque dans la cour arrière des États-Unis avec une tournée en Amérique latine en 1966. « *Mexicanos con Francos mano en la mano* », lance le Général. Et, bien entendu, la stratégie gaullienne inclut les pays africains de la zone d'influence française.

La conjoncture internationale était d'autant plus favorable à la lutte d'émancipation du peuple qué-

bécois que les États-Unis étaient embourbés dans
la guerre au Viêt-Nam et faisaient face à la contestation conjuguée du mouvement pacifiste et du
mouvement des droits civiques des Noirs.

Au Canada, la situation intérieure était également propice, le pays étant dirigé par un gouvernement libéral minoritaire avec un Premier ministre
faible, Lester B. Pearson.

Mais le Québec n'est pas au rendez-vous. L'idée
d'indépendance est encore nouvelle pour une
grande partie de la population et « *l'homme provi-
dentiel* » pressenti, le Premier ministre Daniel
Johnson, malade, repousse les projets de De
Gaulle, avant de capituler piteusement devant
Paul Desmarais et *l'establishment* financier de
Montréal et de Toronto.

La classe dirigeante canadienne-anglaise avait
bien préparé sa riposte. Dès les premiers signes de
la montée en puissance du mouvement indépendantiste, elle avait recruté un obscur propriétaire
d'autobus de Sudbury, un dénommé Paul
Desmarais, et l'avait installé à la tête de Power
Corporation. Une de ses premières actions a été de
prendre le contrôle en 1967 du journal *La Presse* –
un nid de socialistes et d'indépendantistes, selon
les fédéralistes – avec la bénédiction du Premier
ministre Daniel Johnson.

En 1968, Paul Desmarais organisait dans ses
bureaux de la *Canadian Steamship Lines* à
Montréal la campagne électorale qui allait porter
Pierre Elliot Trudeau au pouvoir, avec l'appui
d'une nouvelle fournée de « *réformistes* » québécois,
appuyés par l'élite des milieux d'affaires. C'était le

« *French Power* ». À la faveur de la Crise d'Octobre,
le gouvernement fédéral décrète la Loi des mesures
de guerre et envoie l'armée au Québec. L'objectif de
cette occupation militaire était de casser les reins
du mouvement indépendantiste et plus spécifiquement de détruire le Parti Québécois.

## De l'usage de la carotte et du bâton

Les fédéralistes savent tout aussi bien manier
la carotte que le bâton. Dans *L'autre histoire de
l'indépendance* (Éditions Trois-Pistoles), nous
avons décrit en détails la série de transactions
intervenues à la veille du référendum de 1980
par lesquelles des institutions comme le
Mouvement Desjardins, la Banque Laurentienne, la Banque d'Épargne (qui se fondra dans
la Banque Laurentienne), la Banque Nationale
(née à cette époque de la fusion de la Banque
Canadienne nationale et de la Banque
Provinciale), ont pu, au moyen d'acquisitions,
élargir comme par magie leurs activités au
Canada anglais. L'homme derrière toutes ces
manœuvres était Paul Desmarais.

Le NON l'emportera au référendum à la faveur
d'une campagne de peur et de promesses trom-
peuses (« *Nous mettons nos sièges en jeu* », de décla-
rer Trudeau), qui nous ont valu le rapatriement de
la Constitution. Au lendemain du référendum,
René Lévesque, « *l'homme providentiel* » des années
1960 et 1970, vire son capot de bord et, dans un
nouveau *remake* des « *réformistes* » de 1840, prend
le « *beau risque* » d'une réforme des institutions

canadiennes avec le Parti Conservateur de Brian
Mulroney. Cela entraîne une scission au sein du
Parti Québécois et Jacques Parizeau, inflexible
dans ses convictions indépendantistes, est le digne
héritier d'un Louis-Joseph Papineau.

Après l'échec du « *beau risque* » avec le rejet de
l'entente du Lac Meech, Jacques Parizeau a
conduit le Québec aux portes de l'indépendance,
provoquant un état de quasi-panique au Canada
anglais, comme le révèlent Chantal Hébert et Jean
Lapierre dans *Confessions post-référendaires* (Éditions de l'Homme).

Par la suite, la réaction canadienne s'est articu-
lée sur plusieurs fronts : politique avec la menace
de partition du territoire québécois ; juridique avec
la Loi sur la clarté référendaire ; idéologique avec le
programme des commandites ; international avec
les interventions de Paul Desmarais auprès du président Nicolas Sarkozy pour qu'il répudie la politique traditionnelle de la France du « *Non ingérence
non indifférence* » à l'égard du Québec.

Le Canada est aussi intervenu au plan financier.
La nomination de Michael Sabia à la tête de la
Caisse de dépôt – dont le mandat a été prolongé par
Pauline Marois ! – s'inscrit dans cette volonté de
prendre le contrôle d'institutions clefs comme
l'avait illustré le plan « O » de Jacques Parizeau
lors du référendum de 1995. Le gouvernement
Harper s'est employé à affaiblir le Fonds de solidarité en privant ses contributeurs d'une partie des
déductions fiscales auxquelles ils avaient droit.

## La fin du Québec Inc. ?

Dans une allocution prononcée le 18 février 2008, à l'occasion de la prise de contrôle de la Bourse de Montréal par la Bourse de Toronto, Jacques Parizeau a fait le douloureux constat que le Québec Inc., auquel il avait consacré tant d'efforts pour en favoriser l'émergence, n'existait plus. À cette occasion, M. Parizeau a décrit de façon magistrale la constellation des principaux instruments financiers du Québec, leur interaction et les changements survenus qui remettaient en question l'existence même du Québec Inc.

« *Le Québec Inc. a été le produit de la collaboration d'institutions comme la Caisse de dépôt, la Société générale de financement, le Mouvement Desjardins, la Banque Nationale, le Fonds de solidarité, avec ce qu'on a appelé la* " garde montante " *du milieu des affaires. On avait alors une vision commune des choses à faire, même si certains ne l'ont réalisé qu'après coup* », d'expliquer M. Parizeau en déplorant que ce n'était plus le cas. Prenant acte de positions divergentes sur la question de la Bourse de Montréal, M. Parizeau déclarait : « *C'est la première fois que le Mouvement Desjardins et la Caisse de dépôt s'opposent ainsi. C'est la première vraie chicane de famille* ».

La dislocation du Québec Inc. a été accompagnée d'une intégration toujours plus poussée des institutions financières québécoises aux institutions canadiennes. C'est ainsi que les plus beaux fleurons du monde financier québécois, la Caisse de dépôt et placement, la Banque Nationale, le Mouvement

Desjardins et le Fonds de Solidarité ont participé à la prise de contrôle du Groupe TMX, qui gère les bourses de Toronto et de Montréal, avec leurs associés anglophones, la Banque CIBC, la Banque Toronto-Dominion et la Banque Scotia, au sein du bien nommé groupe Maple, formé pour l'occasion. La feuille d'érable a remplacé la fleur de lys, et le Canada Inc. a avalé le Québec Inc.

Quant aux preux chevaliers de la « *garde montante* », qui ont prospéré grâce à l'appui des nombreuses sociétés d'État, nées dans le cadre de la Révolution tranquille, ils ont, pour plusieurs d'entre eux, retourné leur veste et exigé la privatisation de ces mêmes sociétés d'État pour s'en partager les dépouilles, avant d'être à leur tour, dans bien des cas, l'objet d'une prise de contrôle par des sociétés étrangères.

Quelques autres sociétés québécoises, comme Bombardier, sont devenues, à la faveur de la mondialisation, des multinationales, qui ont besoin de l'aide monétaire, commerciale et des missions diplomatiques du gouvernement fédéral pour leur expansion. Au plan politique, elles sont parmi les plus actives dans le camp fédéraliste lorsqu'il s'agit de l'indépendance du Québec.

S'il faut, aujourd'hui, admettre que le Québec Inc. – entendre par là une fraction nationaliste de la classe d'affaires québécoise – n'existe plus, il ne faut pas exclure sa renaissance éventuelle, Comme s'est plu à le dire M. Parizeau, en citant le Général de Gaulle, dans sa conférence de février 2008 : « *L'avenir dure longtemps* ». Conséquence de la loi du développement inégal du capitalisme, rien n'ex-

clut, en effet, l'émergence de nouveaux secteurs de
la classe d'affaires qui, regroupés peut-être autour
d'un Pierre Karl Péladeau, verront un intérêt à
soutenir un mouvement souverainiste et à se dra-
per dans le fleur-de-lysée pour arracher des
concessions à la classe dirigeante canadienne-
anglaise, voire à se rallier à l'indépendance du
Québec si la conjoncture nationale, canadienne et
internationale s'y prête. Cependant, ce serait une
erreur que de faire reposer sur cette bourgeoisie
d'affaires nationaliste le développement futur du
mouvement indépendantiste et, encore moins, de
lui en confier la direction.

**Du danger de confier les destinées
du mouvement à des gens d'affaires**

Au cours de notre histoire, les exemples ne man-
quent pas de campagne d'intimidation contre l'ensemble du peuple québécois. Mentionnons, pour
mémoire, le Coup de la Brink's, la Loi des mesures
de guerre, la manifestation d'« *amour* » – qui en
était une d'intimidation – à la veille du référendum
de 1995. Mais il y a également des exemples plus
précis de menaces dirigées spécifiquement contre
des individus. Les événements entourant la conclusion des délibérations de la Commission Bélanger-
Campeau en fournissent un bon exemple.

Craignant que Bourassa ne cherche qu'à gagner
du temps et que la vague souverainiste s'essouffle,
les membres indépendantistes de la Commission
Bélanger-Campeau exigeaient la tenue d'un référendum sur la souveraineté en 1991. Mais, aux termes

des travaux de cette Commission, un Parizeau déconfit se voit contraint de signer un document qui, non seulement reporte l'échéance du référendum à l'automne 1992, mais met sur le même pied l'indépendance et de nouvelles offres fédérales.

Lorsque Claude Béland, à la tête du Mouvement Desjardins, dont les actifs approchent les 50 milliards $, avait annoncé la prise de position du Mouvement Desjardins en faveur de l'indépendance, plusieurs avaient senti qu'un tournant important venait d'être pris. La caution à la souveraineté, tant désirée du milieu nationaliste des affaires, était enfin acquise.

Mais le Canada anglais et les milieux fédéralistes voient bien, eux aussi, l'importance de cette prise de position. Et la contre-offensive s'orchestre rapidement. Les éditorialistes et les chroniqueurs de la presse fédéraliste taillent en pièces la méthodologie du sondage sur lequel s'appuyait la position du p.d.-g. du Mouvement Desjardins. Le député Vincent Della Noce menace de lancer un mouvement de retrait de fonds des Caisses populaires, rien de moins. Claude Béland fait part, à l'époque, de mesures de rétorsion d'institutions anglophones comme la Sun Life et la Prudential of America et même de menaces de mort contre sa personne, dont le journal *La Presse* se fait l'écho.

Claude Béland capitule devant ces pressions. Après avoir pris position en faveur de la souveraineté, il commence à faire marche arrière pour trouver des vertus au Rapport Allaire; puis à dire qu'il ne voyait pas de différence entre un référendum en 1991 ou en 1992. Finalement, il déclare, le jour de sa publication, que le Rapport de la Commission Bélanger-Campeau est « *un buffet froid où tout le monde prend ce qu'il veut* » ! Et, cerise sur le *sundae,* Béland cherche à imputer au Parti Québécois la fin en queue de poisson de la Commission Bélanger-Campeau en l'accusant de donner « *la primauté au pouvoir sur la souveraineté* » !

Le Parti Québécois a répliqué en accusant Béland de malhonnêteté intellectuelle et d'être en service commandé pour Robert Bourassa. Par la suite, Béland y est allé d'une déclaration à Paris dans laquelle il prédisait que « *la crise constitutionnelle aboutira à un Canada uni mais profondément renouvelé* » ! Enfin, Claude Béland s'est tenu complètement à l'écart de la campagne référendaire sur l'accord de Charlottetown.

Nous ne savons pas si le recul de Béland était le fruit d'une réflexion personnelle ou s'il exprimait la volonté de son conseil d'administration. Mais il était placé dans une situation où, à cause de ses fonctions, il devait choisir entre le projet indépendantiste et les intérêts à court terme du Mouvement Desjardins. Par chance pour le mouvement indépendantiste, c'est Jacques Parizeau et non Claude Béland qui était aux commandes du Parti Québécois.

Dans le cas de Pierre Karl Péladeau, la possibilité d'un tel chantage n'est pas à exclure. L'avenir de Vidéotron, que ce soit son expansion au Canada anglais ou seulement au Québec, dépend de décisions prises à Ottawa, que ce soit par le CRTC, qui réglemente les télécommunications, ou le ministère de l'Industrie, qui alloue les bandes de spectre.

PKP est l'actionnaire de contrôle de Québecor, mais il ne détient que 25 % des actions. Le titre de l'entreprise pourrait donc être malmené sur les marchés boursiers. Enfin, la publicité commerciale représente au moins 70 % des revenus du *Journal de Montréal* et du *Journal de Québec*. Dans cette assiette publicitaire, la part de l'industrie automobile est énorme. Elle représente parfois près de la moitié des pages des deux publications. Le boycott de ces journaux par les grands de l'industrie automobile porterait un dur coup aux deux publications. Un tel boycott est-il possible ? Il y a quelques années, GM a retiré ses publicités du *Los Angeles Times*. Ce n'était pas pour des motifs politiques, GM protestait contre des articles jugés négatifs à l'égard de ses produits. Un tel boycott est-il possible pour des motifs politiques ? Lors du dernier référendum, l'ambassadeur américain James Blanchard a été particulièrement actif dans le camp du NON et le gouvernement canadien pourrait rappeler à GM l'aide qu'il lui a apporté lors de la crise de 2008.

**PKP fait partie du 1 %**

Un homme providentiel est généralement issu d'un mouvement de lutte. Dans le cas de PKP, on ne peut certainement pas l'associer au mouvement des luttes sociales, dont le grand thème au cours des dernières années a été la lutte contre les inégalités sociales, avec le mouvement *Occupy Wall Street* et des mouvements similaires ailleurs dans le monde. Au Québec, ce mouvement a pris la forme de la formidable mobilisation étudiante contre la hausse des droits de scolarité. PKP n'en était évidemment pas. Au contraire, ses médias ont été parmi les plus féroces critiques du mouvement étudiant et de ses leaders.

PKP fait partie du 1 % des personnes les plus riches au Canada. En 2013, PKP se classait au 32e rang des personnes les mieux payées au Canada avec des revenus de 8 282 487 $. Selon le journal *La Presse* (19/11/2014), la barre pour se qualifier parmi le 1 % des personnes les plus riches était fixée à 215 700 $ en 2012. Au Québec, le seuil était de 180 000 $.

En fait, PKP fait partie du 0,1 % le plus riche. Dans ce groupe sélect, le revenu le plus bas est de 1,85 millions $ et la moyenne se situe à 3,83 millions $. Avec plus de 8,2 millions $ de revenus annuels, PKP gagnait en 2013 plus que la moyenne des 100 Canadiens les mieux rémunérés, qui est de 7,96 M$, soit 171 fois le salaire moyen canadien de 46 634 $. Quand il quitte son bureau, le 3 janvier, après son premier jour de travail, PKP a déjà gagné plus que le salaire moyen annuel des travailleuses et des travailleurs canadiens et deux fois plus que le salaire annuel d'un employé au salaire minimum.

Au sein du mouvement national, PKP est soutenu par le courant le plus conservateur, qui a pour figures de proue l'historien Éric Bédard et le sociologue Mathieu Bock-Côté. Depuis plusieurs années, ces derniers se font les promoteurs d'un conservatisme social, culturel, identitaire et national. Ils qualifient de mythe La Grande Noirceur des années 1950, réhabilitent l'héritage catholique en tant qu'élément constitutif de l'identité nationale, nient la rupture qu'a représentée la Révolution tranquille et oeuvrent à la structuration idéologique d'un courant réformiste-conservateur et leur héros providentiel historique est... Maurice Duplessis ! C'est tout dire !

# CHAPITRE 10
# Conclusion

PKP n'est pas un « *self made-man* ». Il est l'héritier d'un empire édifié par son père. Il est l'illustration parfaite de la thèse que défend l'économiste Thomas Piketty, dans son ouvrage *Le Capital au XXI<sup>e</sup> siècle,* selon qui la richesse est d'abord et avant tout le résultat de la transmission du patrimoine familial. PKP affirme avoir fait fructifier le capital familial. Mais une analyse minutieuse de ses transactions commerciales et financières et de l'évolution de Québecor, au cours des années, montre un portrait beaucoup plus nuancé.

## Une réputation démesurée

À la fin des années 1990, PKP était à la tête du plus gros imprimeur commercial au monde. Avec ses 160 usines et ses 160 000 employés partout sur la planète, Quebecor World était un empire sur lequel le soleil ne se couchait jamais. Mais, en 2008, la nuit est tombée sur l'empire. Des entreprises périclitantes, achetées dans un marché en déclin, ont conduit Quebecor World à se placer sous la loi des faillites au Canada et aux États-Unis.

Au cours de la même période, PKP est devenu le plus grand éditeur de journaux au Canada avec l'achat de Sun Media et, plus tard, d'Osprey Media. Sun Media, payé deux fois le prix que son père avait refusé de débourser deux ans auparavant, a été revendu 14 ans plus tard au quart de son prix d'achat ! Son complément télévisuel, Sun News, lancé en 2011, et qui avait pour modèle le richissime réseau américain Fox News, n'a jamais atteint le seuil de rentabilité et sera fort probablement liquidé à un prix dérisoire.

En fait, n'eût été de l'intervention de la Caisse de dépôt et placement, qui a bloqué la vente de Vidéotron à Rogers Communications et a procédé au plus gros investissement de son histoire au profit de Québecor, l'entreprise familiale se dirigeait allègrement vers la faillite. C'est du moins ce que Michel Nadeau, vice-président de la Caisse au moment de la transaction, a résumé dans un article de la revue *Forces,* intitulé « *Comment Vidéotron a sauvé Québecor* ». Sans cette intervention providentielle, sans la vision qui animait alors les dirigeants de la Caisse, Québecor reposerait possiblement dans le cimetière de ces entreprises québécoises, dont l'héritage paternel s'est évaporé à la suite d'une gestion erratique des héritiers.

Aujourd'hui, Vidéotron est la vache à lait de Québecor avec des ventes qui représentent plus de 75 % de ses revenus, malgré un certain manque de clairvoyance de PKP, qui n'a pas vu venir le déclin des chaînes généralistes et a raté le virage des chaînes de télévision spécialisées. Après s'être fait damer le pion par Astral dans le développement de ce réseau, PKP a assisté, impuissant et catastrophé, à la vente de ces chaînes spécialisées à son concurrent, Bell.

Quand il a voulu se mesurer aux géants anglophones de l'industrie, PKP a mordu la poussière à plus d'une reprise. Sa tentative de prise de contrôle renversée de la papetière Abitibi-Consoldiated, lors de la vente de Donohue, a été repoussée par le conseil d'administration anglophone. Double échec également lorsqu'il était sur les rangs pour l'achat du Canadien de Montréal et la gestion du futur amphithéâtre de Laval. Comme prix de consolation, il doit se contenter de la diffusion d'une partie seulement des matchs du Canadien, obtenue à un prix exorbitant.

Dans ce domaine, le principal fait d'armes de PKP est d'avoir obtenu la gestion de l'amphithéâtre de Québec et de s'être porté acquéreur des Remparts de la LHJMQ, à défaut de la venue jugée improbable d'une équipe de la LNH.

## Harper, he's our man !

Avec la complicité de Brian Mulroney, PKP a cultivé ses relations avec le Premier ministre Stephen Harper. Sun Media et Sun News ont, de façon outrancière, fait la promotion au Canada anglais de Stephen Harper et de ses politiques conservatrices au point où, la veille du dernier scrutin fédéral, les journaux de Sun Media titraient en page frontispice, à propos de Harper : « *He's our man !* »

PKP a obtenu, par retour d'ascenseur, une diminution importante des subventions gouvernementales à Radio-Canada, le concurrent du réseau privé. Affaiblie, la société d'État s'est vue contrainte de s'associer au réseau TVA pour la présentation d'événements mondiaux comme les Jeux Olympiques de Sotchi et la Coupe du Monde de soccer au Brésil.

Vidéotron a bénéficié de la décision du gouvernement Harper de réserver du spectre à des entreprises autres que les trois joueurs dominants du
marché – Bell, Rogers et Telus – pour développer
son réseau de télécommunications. Cependant, à
moins d'investissements considérables et hasar-
deux – toujours possibles, étant donné la feuille de
route de PKP – il semble peu probable que
Vidéotron s'aventure à concurrencer les Trois
Grands sur le marché canadien-anglais, d'autant
plus que Québecor ne pourrait vraisemblablement
pas compter, comme par le passé, sur l'appui de la
Caisse de dépôt et placement, celle-ci étant
aujourd'hui dirigée par Michael Sabia, un ancien
p.d.-g.de Bell.

Vidéotron aura déjà fort à faire pour tenir tête à
Bell sur le marché québécois. Si Vidéotron a pu, en
quelques années, acquérir 12 % du marché de la téléphonie à cause, principalement, de la qualité exécra-
ble du service à la clientèle de Bell, il faut reconnaître que le géant canadien a corrigé le tir et mène
aujourd'hui une concurrence féroce à Vidéotron.
Dans l'ensemble du marché des télécommunications
au Québec, Bell occupe une position dominante avec
33 % des revenus contre 24 % pour Vidéotron.

Québecor doit aussi affronter Bell dans le marché des spectacles, où cette dernière a comme partenaire le Groupe Canadien des frères Molson, et sa
filiale evenko. Le groupe est propriétaire du Centre
Bell, gestionnaire de la future place Bell à Laval, et
possède plusieurs autres salles parmi les plus
importantes à Montréal (Métropolis, Astral,
Théâtre Corona Virgin Mobile), et organise les plus

importants festivals (Festival de Jazz, FrancoFolies, Montréal en Lumières, Osheaga, Heavy MTL). De plus, la rumeur veut que Bell fasse éventuellement l'acquisition des médias de Gesca, qui est déjà en partenariat semi-officiel avec Radio-Canada.

## Ce qui est bon pour Québecor est bon pour le Québec

Quand Québecor a fait l'acquisition de Sun Media en 1998, PKP s'est écrié « *It's a big day for Canada !* ». Pour augmenter le tirage de ses publications et soutenir, par le fait même, ses ambitions canadiennes, PKP n'a rien trouvé de mieux comme ligne éditoriale que de les mettre à l'heure du « *Québec bashing* ». Quelques années plus tard, Sun News s'est vue imposer la même ligne éditoriale anti-Québec, dans le but d'augmenter ses cotes d'écoute. L'exemple à suivre était le réseau Fox News, qui a connu un succès commercial et financier, en devenant la voix du Tea Party.

Lorsqu'interpellé à propos de ce discours raciste et chauvin à l'égard du Québec, PKP a tenté de s'en dissocier en prétextant « *l'indépendance* » des salles de rédaction. Mais, n'est-ce pas lui qui, à l'occasion d'un échange épistolaire avec Jean-François Lisée, lors du lock-out au *Journal de Montréal,* affirmait les prérogatives du propriétaire, lorsqu'il écrivait qu'« *un journaliste ne se loue pas un bureau dans une salle de rédaction comme un coiffeur loue une chaise dans un salon réputé où il reçoit librement sa propre clientèle, selon son humeur* ».

C'est cette même politique, cette même pensée éditoriale sans le nom, qu'il a mise en pratique dans ses médias, au Québec, avec sa campagne « *Québec dans le rouge* », pour arracher au gouvernement Charest le programme de procréation assistée et la somme de 400 millions $ pour l'amphithéâtre de Québec.

C'est aussi en faisant la promotion de François Legault et de la Coalition Avenir Québec dans ses médias qu'il a soutiré au Parti Québécois le projet de loi 204 – qui mettait à l'abri des tribunaux l'entente de l'amphithéâtre entre Québecor et la Ville de Québec –, de même que l'éradication de la promesse d'une modernisation de la loi anti-briseurs de grève dans la plate-forme électorale du parti.

Dans toutes ces circonstances, PKP a mis ses intérêts personnels au-dessus, voire à l'encontre, des intérêts québécois, sous le fallacieux prétexte que « *ce qui est bon pour Québecor est bon pour le Québec* ». Nous en avons eu une nouvelle preuve, avec le blâme du commissaire à l'éthique de l'Assemblée nationale, pour être intervenu, alors qu'il était député, auprès d'Investissement Québec et du ministre Jacques Daoust afin que Vision Globale, propriétaire des studios de cinéma Mel's, demeure entre « *les mains d'intérêts québécois* », c'est-à-dire de Québecor.

### *A working class hero is something to be*

Il est indéniable que Québecor joue un rôle important dans la promotion de la culture québécoise. Avec ses journaux, le réseau TVA, l'édition de livres et de revues, de même que des programmes spécifiques comme le Projet Éléphant – la mémoire du cinéma québécois –, la diffusion du Moulin à Parole, le sauvetage d'institutions comme le Théâtre du Rideau-Vert, des subventions à l'Institut Lionel-Groulx et à de multiples autres organismes et événements.

Face à la culture mondialisée, propagée par evenko, les efforts déployés par Québecor pour la promotion de la culture populaire québécoise sont méritoires. Cependant, ces choix culturels sont ceux d'une institution privée, sans droit de regard de la collectivité, assortis d'interventions directes, sans gêne aucune, du propriétaire Pierre Karl Péladeau. Au-delà de la censure s'instaure inévitablement une autocensure – car vaut mieux être dans les bonnes grâces du Prince – qui brime la liberté d'expression essentielle au développement culturel et à la vie démocratique.

Au nom du nationalisme économique, nous pourrions applaudir avec enthousiasme la lutte de Québecor face à des géants comme Bell. Cependant, le lourd bilan antisyndical de PKP nous contraint à n'applaudir que d'une seule main. Comment, en effet, passer sous silence le fait que ce « *nationaliste* » ait, non seulement violé l'esprit de la loi anti-briseurs de grève lors des lock-out au *Journal de Québec* et au *Journal de Montréal,* mais qu'il ait eu recours à des briseurs de grève, en s'abritant derrière la charte fédérale, lors du conflit à Vidéotron, et en déménageant les installations du *Journal de Montréal* à Cornwall, en Ontario, en 1993.

Aujourd'hui, PKP se proclame le plus ardent défenseur des travailleurs en se présentant sur des lignes de piquetage dans sa circonscription de Saint-Jérôme, sans doute en chantonnant *A working class hero is something to be* de John Lennon. Mais PKP n'est pas une réincarnation de saint François d'Assise, qui a renié son passé, sa richesse, ses titres pour se consacrer aux plus humbles. Le passé de PKP est toujours là, exprimé dans sa fortune. PKP fait partie du club sélect des 100 hommes les plus riches du Canada. Il est membre, non seulement du 1 %, mais du 0,1 % des plus riches. Sa fortune, il sait pertinemment, en tant qu'ancien disciple de Karl Marx – au point d'avoir changé le « C » de son prénom pour un « K » – qu'elle provient ultimement du travail gratuit de ses employés obtenu par l'allongement de la journée de travail ou son intensification.

## L'axe PKP-Mulroney-Harper

Au fil des ans, les ambitions de PKP, au point de vue économique, sont devenues plus modestes, passant de la patinoire mondiale avec Quebecor World à l'amphithéâtre de Québec. Peut-être à cause de ses revers économiques, PKP a maintenant décidé d'investir le terrain politique.

Après avoir contribué financièrement aux caisses électorales du Parti Conservateur à Ottawa (2004, 2006), à celles du Parti Libéral (2005, 2007, 2008) et de l'ADQ (2007) au Québec, PKP s'affiche maintenant comme le plus résolu des indépendantistes. Et, nul doute que pour obtenir le vote des

membres du Parti Québécois, il multipliera les pro-
fessions de foi indépendantistes pendant la course
à la chefferie.

Qu'en sera-t-il par la suite ? Nous avons l'exemple de la trajectoire d'un autre homme d'affaires,
François Legault, qui était le plus militant des
indépendantistes lorsqu'il parcourait le Québec
avec ses études sur le déséquilibre fiscal, pour
ensuite proclamer qu'il fallait assainir les finances
publiques et développer économiquement le
Québec, avant même de songer à l'indépendance.

Les hommes d'affaires québécois ont souvent
agité le fleur-de-lysée pour arracher des concessions au Canada-anglais et rentrer, par la suite,
dans le rang. Il y a également une longue tradition
d'alliances entre nationalistes québécois et conservateurs canadiens. Dans l'histoire récente, rappelons l'alliance entre Duplessis et Diefenbaker, et le
« beau risque » de René Lévesque avec Brian
Mulroney. Aussi, il ne faut pas oublier que Brian
Mulroney, un vieil ami de la famille Péladeau, est
aujourd'hui président du conseil de Québecor.
L'existence de cette filière PKP-Mulroney-Harper
devrait inciter les indépendantistes à la réflexion.

À tort ou à raison, PKP ne veut pas se départir de
ses actifs financiers, s'il devient chef du Parti
Québécois. Plusieurs ont souligné le danger qu'il
soit continuellement en conflits d'intérêts. Pour
notre part, nous voulons surtout insister sur le fait
que ses intérêts économiques le rendent vulnérable
aux pressions politiques et économiques. Vidéotron
dépend de décisions du gouvernement Harper pour
son développement. Bien qu'il soit l'actionnaire de

contrôle, Québecor est détenue à 75 % par des actionnaires autres que PKP, et le financement de ses médias repose principalement sur la publicité commerciale.

Malgré toute la bonne volonté indépendantiste qu'on peut accorder à PKP, son passé d'affaires risque de peser plus lourd dans la balance que l'indépendance du Québec.

CET OUVRAGE COMPOSÉ
EN CENTURY SCHOOLBOOK 12 PTS
A ÉTÉ ACHEVÉ D'IMPRIMER
SUR LES PRESSES
DES IMPRIMERIES MARQUIS
EN JANVIER DEUX MILLE QUINZE